Enseña
MATEMÁTICAS
de forma
DIVERTIDA

Enseña
MATEMÁTICAS
de forma
DIVERTIDA

Janice VanCleave

LIMUSA · WILEY

VanCleave, Janice
  Enseña matemáticas de forma divertida : Teaching the fun
of math / Janice VanCleave. -- México : Limusa Wiley, 2007.
214 p. : il. ; 21 x 27.5 cm.
ISBN-13: 978-968-18-6752-2
Rústica.
1.Matemáticas - estudio y enseñanza

I. Lerma Ortiz, Mayra, tr.

LC: QA135   Dewey: 372.7 - dc21

Traducción autorizada de la edición en inglés,
publicada por John Wiley & Sons, Ltd. con el
título:
TEACHING THE FUN OF MATH

© John Wiley & Sons
Nueva York, Chichester, Brisbane, Singapore and
Toronto. Ninguna parte de este libro podrá ser
reproducida de ninguna forma sin la autorización
por escrito de John Wiley & Sons, Inc.

© Editorial Limusa S.A. and John Wiley & Sons
(HK), Ltd.

Colaborador en la traducción
MAYRA LERMA ORTIZ

© 2007, EDITORIAL LIMUSA, S.A. de C.V.
GRUPO NORIEGA EDITORES
Balderas 95, México, D.F.
C.P. 06040
☎ 51 30 0700
📠 55 12 2903
limusa@noriega.com.mx
www.noriega.com.mx

Caniem Núm. 121

PRIMERA EDICIÓN
Hecho en México
ISBN-13: 978-968-18-6752-2

Dedicatoria

Es un placer dedicarle este libro a una pandilla
de futuros magos de las matemáticas, mis bisnietos:

Tyler y Krista Bolden
y
Christopher y Makenzie Durbin

Agradecimientos

Deseo expresar de manera especial mi agradecimiento a los educadores que me ayudaron a realizar pruebas de las actividades presentadas en el libro y que me proporcionaron información científica, alumnos de pedagogía de la doctora Nancy Cherry, docente de Lamburth University, Jackson, Tennessee; Brandy Clement, Susan Crownover, Kendra Edwards, Amity Freytag, Holli Helms, Laticia Hicks, Nikki Keener, Jodie Leach, Kristen Malone, Karrinn Penrod, Brandi Phillips, Glenda Raven, Bridget Smith y Krista Vaughn.

Asimismo, quiero expresar toda mi gratitud a Carol G. Cathey, microbióloga, toxicóloga, maestra de biología y educadora de unos trillizos muy talentosos: Sara, Rachel y Jared.

Contenido

Palabras de la autora

A los chicos les gustan las matemáticas. Les emociona descubrir figuras en las estrellas, atinarle al número ganador en la ruleta, obtener la rebanada de pastel más grande, y descubrir que su promedio en matemáticas es alto. En otras palabras, les gusta investigar temas relacionados con la geometría, razones, porcentajes y probabilidades, área y volumen, estadística y otros más. Con su guía, el maestro puede alentar esa curiosidad natural y lograr que obtengan una comprensión más profunda de estas áreas. Las investigaciones propuestas en este libro le ayudarán a encauzar a sus alumnos para desarrollar un conocimiento básico de estos conceptos matemáticos, conocimiento que a su vez servirá de base para profundizar en el estudio de las matemáticas y para crear el gusto por la exploración en esta ciencia.

El objetivo primordial de este libro es crear las oportunidades que permitan despertar la cosquilla de la investigación en los estudiantes. Este enfoque práctico motiva a los alumnos a comprender los conceptos matemáticos, les permite aplicarlos y refuerza las habilidades que necesitan para convertirse en investigadores independientes. En cada capítulo se presenta una lista de términos matemáticos nuevos, pero el memorizar definiciones no es el objetivo de este libro. Por el contrario, la comprensión de la terminología debe surgir de forma natural a partir de la exploración y la experiencia. La exploración propuesta abarca desde la solución de problemas básicos y la realización paso a paso de actividades matemáticas sencillas hasta ejercicios de profundización que son un reto para desarrollar habilidades útiles del pensamiento matemático.

El diseño básico y los objetivos de cada sección del libro están apegados a estándares internacionales para la enseñanza de las matemáticas dirigida a niños de 8 a 12 años. Aun cuando en este libro no se cubren todos los estándares, se ha procurado que en las investigaciones estén representados distintos puntos de referencia o guías para evaluar el progreso en matemáticas en este grupo de edad.

Las actividades e investigaciones que se presentan en este libro se pueden adaptar para estudiantes de diferentes niveles escolares con tan sólo aumentar o disminuir la cantidad de información suministrada. Por ejemplo, en el capítulo 3 dedicado a la división, se presentan los aspectos básicos de esta operación, y para los estudiantes mayores, se proporcionan reglas adicionales para dividir números positivos y negativos. Aunque la evaluación del progreso individual de los estudiantes se realiza de manera continua, los maestros necesitan información tangible para definir la calificación de un alumno. Para las investigaciones de este libro sugiero diversos métodos de evaluación, como responder en forma correcta los problemas de la sección "Ahora te toca a ti", lo mismo que pruebas tradicionales con lápiz y papel. Mi consejo para los maestros es que no permitan que la necesidad de evaluar el trabajo del estudiante arruine el gusto por descubrir las maravillas de las matemáticas, que traten de equilibrar el espíritu libre que anima el descubrimiento con la tarea de tener que estudiar y exponer sus conocimientos matemáticos.

Lineamientos para el uso adecuado de los ejercicios de prácticas e investigación de las matemáticas en el aula

Lea las sugerencias para el maestro

Este libro está organizado en cinco secciones: Números y operaciones; Álgebra; Mediciones; Geometría; y Análisis de datos y probabilidad. Cada sección inicia con una descripción breve del tema presentado. En conjunto, estas cinco secciones comprenden un total de treinta y cuatro capítulos con más de ochenta actividades e investigaciones.

Cada capítulo contiene dos o más actividades o investigaciones, así como una descripción general con sugerencias para el maestro. La descripción incluye guías para evaluar el progreso en matemáticas para cada actividad, lo que se espera que aprenda el alumno, recomendaciones para preparar los materiales y un miniglosario de términos nuevos que se deben explicar a los alumnos. También incluye antecedentes y datos interesantes acerca de los términos investigados, y por último, actividades e información que se presentan en la sección "Un poquito más". Las respuestas a los problemas de la sección "Ahora te toca a ti" se encuentran al final de las sugerencias para el maestro.

Los términos matemáticos empleados en cada actividad aparecen en **letras negritas** y se definen en la introducción de cada sección, en las actividades e investigaciones, en las sugerencias para el maestro y en el glosario. Los términos introducidos en las secciones "Un poquito más", así como los de las actividades adicionales y los términos científicos que se presentan en las investigaciones y en las sugerencias para el maestro, aparecen en *letras cursivas*, y no se incluyen en el glosario. Seguramente el maestro querrá enriquecer y ampliar el contenido de sus lecciones explicando los términos clave a sus alumnos.

A lo largo de todo el libro se utilizan unidades de medida del Sistema Internacional y del sistema inglés. En las actividades que no requieren mediciones exactas se presentan las unidades del Sistema Internacional y entre paréntesis aparecen los equivalentes aproximados del sistema inglés, lo cual le permite al lector emplear uno u otro sistema de medición, aunque es de señalar que la intención no es reflejar las equivalencias exactas entre los dos sistemas.

Estudie cada actividad

Lea cada uno de los ejercicios de práctica y luego estudie los pasos que explican la manera de resolverlos. Esto le puede dar ideas para exponer procedimientos matemáticos nuevos.

Las actividades siguen un formato general:

Ejercicios de práctica, que permiten al lector familiarizarse con los nuevos términos matemáticos a través de las secciones:

- **¡Piensa!**, que muestra el proceso paso a paso para resolver cada ejercicio.
- **Respuesta**, para cada paso del ejercicio de práctica; y
- **Ahora te toca a ti**, con problemas que pueden resolverse del modo ya aprendido en los ejercicios de práctica. Las respuestas de los problemas de esta sección se encuentran al final de las sugerencias para el maestro.

Estudie cada investigación

Las investigaciones ayudan a reforzar los conceptos explicados en clase y en los ejercicios de práctica. Lea completamente cada investigación antes de comenzar y ensáyela antes de la clase. Esto es para mejorar su dominio del tema; además le permite familiarizarse con el procedimiento y los materiales. Si conoce bien la investigación, le será más fácil dar instrucciones, responder preguntas y exponer el tema.

Las investigaciones siguen un formato general:

1. **Objetivo:** el propósito de la investigación.

2. **Materiales:** lista de materiales que se necesitarán para cada alumno o equipo (artículos de uso común en el hogar).

3. **Procedimiento:** las instrucciones paso a paso.

4. **Resultado:** en algunas investigaciones se proporciona una tabla para que los estudiantes registren sus observaciones. En otras, se explica con exactitud lo que se espera que ocurra. Ésta es una herramienta de aprendizaje inmediato. Si se logra el resultado esperado, los alumnos obtienen un reforzamiento positivo inmediato. Si los resultados no son los esperados, anímelos a revisar el procedimiento. Asegúrese de decirles que no cambien sus datos. Explíqueles que, aunque es posible que no obtengan los resultados esperados, siempre deben registrar cuidadosamente los resultados observados. Para alentar esto, puede diseñar un sistema de firmas (una forma de evaluación que compense a los estudiantes por terminar con éxito su investigación, más que por la precisión de los resultados).

5. **¿Por qué?:** algunas de las investigaciones contienen esta sección, en la que se explica en términos comprensibles para los estudiantes por qué se obtuvieron los resultados. Los términos matemáticos y científicos nuevos se van introduciendo conforme se avanza en cada investigación. Los términos que no hayan sido presentados en una actividad anterior, se mostrarán en **letras negritas** y se definirán en la sección "¿Por qué?" de la investigación. Los términos científicos nuevos aparecen en *letras cursivas* y se definen en la sección "¿Por qué?". Todos los términos matemáticos de los treinta y cuatro capítulos están incluidos en el glosario al final del libro. Los términos matemáticos resaltados con letras negritas y los términos científicos presentados con letras cursivas aparecen en el índice al final del libro.

Recopile y organice los materiales con anticipación

Habrá menos frustración y más éxito si se tienen listos todos los materiales de la investigación para su uso inmediato. Determine si los alumnos llevarán a cabo la investigación en forma individual o en equipo, y calcule la cantidad de cada material que necesitará para todo el grupo. Es recomendable designar un lugar en el aula para colocar los materiales cada vez que se programe una investigación o actividad. Separe los materiales y colóquelos en diferentes cajas o áreas de la mesa. Asimismo, proporcione cajas o charolas a los alumnos para transportar los materiales a sus áreas de trabajo. Es deseable que ellos ayuden a reunir y organizar los materiales.

Forme equipos cooperativos y asígneles tareas

Aunque la mayoría de las investigaciones propuestas se pueden efectuar de manera individual, hacer que los estudiantes formen equipos para realizarlas le ayudará a manejar al grupo y brindará una excelente oportunidad para que ellos no sólo aprendan matemáticas, sino también a trabajar juntos. El equipo ideal es de cuatro miembros; sin embargo, también son aceptables los equipos más grandes o más pequeños, siendo éstos preferibles en algunos casos. La recolección y análisis de datos se hace en equipo, pero los informes pueden hacerse individualmente o en grupo. La colaboración mejora el aprendizaje del alumno y permite reducir la cantidad de material requerido. Asigne una tarea a cada miembro del equipo o deje que ellos determinen lo que hará cada uno. Esto permitirá que la investigación grupal sea una aventura muy divertida para los estudiantes, y para el maestro, uno de los momentos más fáciles y organizados de la jornada.

Funciones y tareas sugeridas

DIRECTOR: este miembro del equipo dirige la investigación grupal. Actúa como representante, sin olvidar que cada niño deberá realizar una parte de la investigación. El director determina qué parte del trabajo llevará a cabo cada miembro del equipo. También puede informarle al maestro los problemas que pudieran presentarse en su equipo. Para hacerlo, puede utilizar como señales tres objetos de colores diferentes apilados uno sobre otro. El color de arriba indica lo que el grupo necesita: rojo, ayuda inmediata; amarillo, pregunta que el maestro contestará cuando tenga tiempo; y verde, todo va bien.

ENCARGADO DE MATERIALES: este miembro del equipo obtiene los materiales necesarios para la investigación de la mesa de materiales y al final de la sesión regresa los que no fueron utilizados. Asimismo, recibe una lista de lo que necesitará para la investigación. Es útil reunir a todos los encargados frente a la mesa, de manera que el maestro pueda identificar los materiales que les entrega y dar instrucciones especiales para su transportación y uso. El encargado de materiales y el encargado de desperdicios serán los únicos que tendrán permiso para desplazarse por el salón.

SECRETARIO: registra todas las observaciones realizadas por el equipo, ya sea en forma de dibujos o información escrita, o ambas. Si la actividad requiere anotaciones individuales, el secretario puede reunir las hojas de sus compañeros de equipo para entregarlas juntas.

ENCARGADO DE DESPERDICIOS: este miembro del equipo es responsable de enviar al lugar adecuado los materiales ya usados. De igual manera, debe cerciorarse de que el área de trabajo quede limpia y lista para la siguiente actividad. También puede ser quien tome el tiempo. Es importante terminar la investigación de manera que quede tiempo suficiente para la limpieza.

Supervise las investigaciones

Haga a sus alumnos leer por completo el procedimiento de la investigación antes de comenzar y seguir cuidadosamente cada paso sin omitir ni agregar ninguno. Haga énfasis en que la seguridad es de máxima importancia y en que se deben seguir las instrucciones al pie de la letra. Para cerciorarse de que todos los alumnos entienden el procedimiento, tal vez sea conveniente mostrarles todo o una parte de él antes de comenzar. Puede suprimir el último paso para que los estudiantes vean el resultado por primera vez por sí mismos.

Ayude a sus alumnos en el análisis de resultados

Como ya se ha dicho, es mejor que realice la investigación anticipadamente a fin de que sepa lo que puede esperar. Así, si los resultados a los que lleguen los alumnos no son idénticos a los descritos en la investigación, usted estará mejor preparado para ayudarlos a descifrar lo que pudieron haber hecho mal. Primero repase el procedimiento completo paso a paso con el estudiante o equipo para cerciorarse de que no se omitió ninguno. En caso de que hayan seguido todos los pasos, guíe a los alumnos con preguntas para que puedan dar con la solución. Al hacerlo, los alumnos podrán formular una hipótesis acerca de los motivos por los que no obtuvieron los resultados deseados. Analice los materiales. Puede hacer preguntas como: "¿crees que los ángulos exactos hacen la diferencia?"; o, "¿el peso del papel afecta el resultado?" A veces se puede organizar una lluvia de ideas con los alumnos, y en otras, basta indicarles que vuelvan a leer las instrucciones y que repitan la investigación. Esto da oportunidad para señalarles que los matemáticos siempre deben revisar su trabajo para confirmar sus resultados. Cuando los resultados sean los esperados, vuelva a las secciones "Sugerencias para el maestro" y "¿Por qué?" para proporcionar a los alumnos explicaciones matemáticas o cualquier aclaración científica pertinente.

Anime a sus alumnos a informar sus resultados

Ha llegado el momento de señalar que, aunque aprender matemáticas es un gran logro individual, también es importante saber comunicar el conocimiento a través de una documentación precisa y comprensible. Puede dejarles de tarea la elaboración de un informe individual o en equipo; este segundo tipo de informe lo realizará el secretario con los datos del equipo. Los informes pueden ser desde dibujos sencillos que representen los resultados de la investigación, hasta escritos que resuman el procedimiento y los datos obtenidos, con una conclusión que explique por qué se lograron los resultados. No es mala idea escribir en el pizarrón los resultados para usarlos más tarde en la discusión grupal, lo mismo que para iniciar al alumno en las técnicas de recolección y organización de datos.

Plantee sugerencias para investigaciones posteriores

La sección "Un poquito más", en las sugerencias para el maestro, permite obtener ideas para llevar a cabo un estudio más avanzado del tema de la investigación. Algunas de las sugerencias enlazan la investigación con otros temas, como la ciencia y el arte.

Acerca de las unidades de medida usadas en este libro

- Como podrás ver, en los experimentos científicos en este libro se emplean el Sistema Internacional de Unidades (sistema métrico) y el sistema inglés, pero es importante hacer notar que las medidas intercambiables que se dan son aproximadas, no los equivalentes exactos.

- Por ejemplo, cuando se pide un litro, éste se puede sustituir por un cuarto de galón, ya que la diferencia es muy pequeña y en nada afectará el resultado.

- Para evitar confusiones, a continuación tienes unas tablas con los equivalentes exactos y con las aproximaciones más frecuentes.

ABREVIATURAS

atmósfera = atm	yarda = yd	onza = oz
milímetro = mm	pie = ft	cucharada = C
centímetro = cm	taza = t	cucharadita = c
metro = m	galón = gal	litro = l
kilómetro = km	pinta = pt	mililitro = ml
pulgada = pulg (in)	cuarto de galón = qt	

TEMPERATURA

Sistema inglés	Sistema Internacional (métrico decimal)	
32 °F (Fahrenheit)	0 °C (Celsius)	Punto de congelación
212 °F	100 °C	Punto de ebullición

MEDIDAS DE VOLUMEN
(LÍQUIDOS)

Sistema inglés	Sistema Internacional (métrico decimal)	Aproximaciones más frecuentes
1 galón	= 3.785 litros	4 litros
1 cuarto de galón (E.U.)	= 0.946 litros	1 litro
1 pinta (E.U.)	= 473 mililitros	1/2 litro
1 taza (8 onzas)	= 250 mililitros	1/4 de litro
1 onza líquida (E.U.)	= 29.5 mililitros	30 mililitros
1 cucharada	= 15 mililitros	
1 cucharadita	= 5 mililitros	

UNIDADES DE LONGITUD
(DISTANCIA)

Sistema inglés	Sistema Internacional (métrico decimal)	Aproximaciones más frecuentes
1/8 de pulgada	= 3.1 milímetros	3 mm
1/4 de pulgada	= 6.3 milímetros	5 mm
1/2 pulgada	= 12.7 milímetros	12.5 mm
3/4 de pulgada	= 19.3 milímetros	20 mm
1 pulgada	= 2.54 centímetros	2.5 cm
1 pie	= 30.4 centímetros	30 cm
1 yarda (= 3 pies)	= 91.44 centímetros	1 m
1 milla	= 1,609 metros	1.5 km

UNIDADES DE MASA
(PESO)

Sistema inglés	Sistema Internacional (métrico decimal)	Aproximaciones más frecuentes
1 libra (E.U.)	= 453.5 gramos	1/2 kilo
1 onza (E.U.)	= 28 gramos	30 g

Números y operaciones

Un **número** es un símbolo que se emplea para representar una **cantidad** (una cifra). Las **operaciones** son procesos que se realizan con números. Las cuatro operaciones básicas y sus **signos** (signos que representan a las operaciones matemáticas) son: la suma (+), la resta (–), la multiplicación (×) y la división (÷). La comprensión de las operaciones y el orden en el cual se deben realizar, brinda a los chicos las herramientas que necesitarán más adelante para descubrir el valor de las variables desconocidas (incógnitas) en las ecuaciones algebraicas. Dado que algunos problemas matemáticos requieren más cálculos que otros, el uso de una herramienta tecnológica, como la calculadora, puede hacer que el proceso de encontrar la respuesta sea más rápido. Las operaciones comunes de suma, resta, multiplicación y división son necesarias para resolver problemas que contienen fracciones y para determinar las variables desconocidas en una ecuación algebraica.

Suma y resta

SUGERENCIAS PARA EL MAESTRO

Guías para evaluar el progreso

Al término del quinto grado, el alumno ya debe saber:
- Demostrar que comprende la estructura y las propiedades de las operaciones.
- Usar la suma y la resta para resolver problemas relacionados con actividades cotidianas.

Al término del sexto grado y en primero de secundaria, el alumno ya debe saber:
- Representar operaciones con modelos, palabras y números.
- Comparar y ordenar números enteros.

En este capítulo se espera que el alumno:
- Use la recta numérica para evaluar expresiones de suma y resta.
- Analice los enunciados de los problemas para elegir una operación, y escriba y evalúe una expresión para el problema.

Para presentar los conceptos matemáticos

1. Explique los nuevos términos:

   adición: operación de reunir dos o más números llamados sumandos, los cuales se combinan en un número resultante llamado suma.

   analizar: separar información en partes individuales, examinar esas partes y organizarlas para resolver un problema.

   ecuación: enunciado matemático que se vale del signo de igual para indicar que dos expresiones son idénticas.

   enunciado de un problema: proposición que expresa con palabras un problema matemático.

   expresión: números o letras, o la disposición de números y letras combinados con uno o más signos operacionales.

   expresión numérica: números combinados con uno o más signos operacionales.

   igual (=): signo que se usa para comparar números o expresiones iguales.

   números enteros: los números que se usan para contar y el 0.

   operaciones: procesos como la suma y la resta que se efectúan con los números.

   operaciones inversas: operaciones contrarias entre sí. La suma y la resta son operaciones inversas.

   propiedad conmutativa de la suma: cuando los números se suman, el orden de los sumandos puede cambiarse sin que se modifique el resultado.

   recta numérica: línea dividida en partes iguales con un punto designado como el 0 (cero) u origen.

   resta: operación que se lleva a cabo para encontrar la diferencia entre dos números.

   suma: número que resulta de agregar dos o más sumandos.

   sumando: número que se suma a otro.

2. Explore los nuevos términos:

   - Los números enteros son aquellos que se usan para contar, además del 0. Incluyen 0, 1, 2, 3, 4...

   - En ocasiones, para facilitar su lectura se usan comas para escribir números enteros con más de tres dígitos. Para colocar una coma en un número entero, cuente los dígitos de derecha a izquierda y ponga una coma después de cada tres de ellos. Por ejemplo, el número entero 2307456 puede escribirse como 2,307,456.

   - También se usan comas cuando se escribe un número con palabras. Así, el número 2,307,456 se escribe: dos millones, trescientos siete mil, cuatrocientos cincuenta y seis.

   - El signo para la operación de la suma es el más (+).

   - El signo para la operación de la resta es el menos (–).

   - Suma y resta son operaciones inversas, lo cual significa que si se comienza con cualquier número y luego se suma y resta el mismo número, el resultado será la cifra original. Por ejemplo, si se comienza con el número 10 y se suma 4, y luego se resta 4, el resultado será diez: $10 + 4 - 4 = 10$.

   - La propiedad conmutativa de la suma de los números reales a y b se expresaría como: $a + b = b + a$.

- Son ejemplos de expresiones numéricas: 3 + 4 y 5 + 4 – 2.
- En una ecuación se usa el signo = para comparar números o expresiones iguales. Por ejemplo: 2 + 3 = 5 o 2 + 3 = 4 + 1.
- Para resolver el enunciado de un problema, primero deberá analizarlo para determinar lo que sabe (los datos), lo que desea saber y cuáles son las operaciones necesarias. Después se escribe una expresión en forma de oración para encontrar la respuesta.

Recta numérica

1. (–2) + (–1)   **Respuesta:** (–3)
2. 6 + (–4)   **Respuesta:** (2)
3. 7 + (–2) + (–4) **Respuesta:** (1)
4. 4 + (–2) + 1 + (–5) **Respuesta:** (–2)
5. (+3) + (–2) + (–6) **Respuesta:** (–5)

UN POQUITO MÁS

1. Explique los términos *números negativos, números positivos* y *números con signo*. Los números negativos son aquellos cuyo valor es menor que 0 y se ubican a la izquierda de éste en la recta numérica horizontal. Los números positivos poseen un valor mayor que 0 y se ubican a la derecha de éste en la recta numérica horizontal. Los números con signo son aquellos que llevan un signo positivo o negativo. Los números negativos deben tener un signo negativo, como –5, pero los positivos pueden escribirse con o sin el signo positivo, por ejemplo +4 o 4.

2. Cuando se usan flechas para indicar la suma de números con signo, como en la figura de abajo, la longitud de la flecha representa el valor del número. En una recta numérica horizontal, la flecha de un número positivo apunta hacia la derecha y la de un número negativo hacia la izquierda. Por ejemplo, al usar flechas y una recta numérica para determinar la suma de 4 + (–3), se tendría:

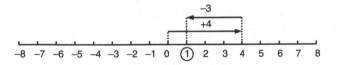

Prepare una hoja para la actividad de suma de números con signo; para cada operación dibuje una recta numérica, como se muestra aquí. El alumno podrá trazar con lápiz flechas en una u otra dirección sobre la recta numérica para encontrar la suma en cada operación. Algunos ejemplos son:

RESPUESTAS

Actividad 1: Suma y resta

1.

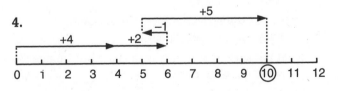

Respuesta: 6 + 4 = 10

2.

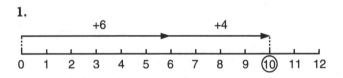

Respuesta: 8 – 3 = 5

3.

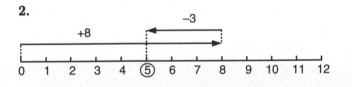

Respuesta: 9 + 1 – 7 = 3

4.

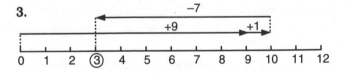

Respuesta: 4 + 2 – 1 + 5 = 10

5.

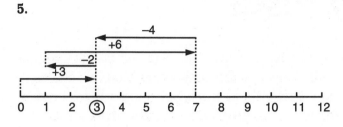

Respuesta: 3 − 2 + 6 − 4 = 3

Actividad 2: Resuelve los problemas

1. a. Total de clientes = 15

Clientes cedidos = 7

b. ¿Cuántos clientes conservó Fernanda?

c. Resta

d. 15 − 7

e. 15 − 7 = 8

2. a. Tiempo que Mónica ha estado cuidando a Jacobo = 2 horas

Tiempo que falta para que regresen los papás = 3 horas

b. Tiempo total que Mónica cuidará a Jacobo

c. Suma

d. 2 horas + 3 horas

e. 2 horas + 3 horas = 5 horas

3. a. Total de kilómetros por correr = 4 kilómetros

Kilómetros que quedan por correr = 1 kilómetro

b. ¿Cuántos kilómetros ha recorrido Fabiola?

c. Resta

d. 4 kilómetros − 1 kilómetro

e. 4 kilómetros − 1 kilómetro = 3 kilómetros

4. a. Dinero pagado por cortar el pasto = $15.00

Dinero pagado por podar el seto = $10.00

Dinero pagado por rastrillar las hojas = $5.00

b. ¿Cuánto ganó Tomás en total?

c. Suma

d. $15.00 + $10.00 + $5.00

e. $15.00 + $10.00 + $5.00 = $30.00

ACTIVIDAD 1

Suma y resta

Las **operaciones** son procesos que se efectúan con números; la suma y la resta son operaciones. La **suma** o **adición** es la operación de reunir dos o más números llamados **sumandos**, los cuales se combinan en un número resultante llamado **suma** o **total**. En la suma puedes cambiar el orden de los sumandos sin que esto modifique el resultado; ésta es la **propiedad conmutativa de la suma**. La **resta** o **sustracción** es la operación que se realiza para encontrar la diferencia entre dos números. Dado que la suma es una operación que añade y la resta es una operación que quita, se llaman **operaciones inversas**, y se anulan una a otra. La **recta numérica**, que es una línea recta dividida en partes iguales en la cual cada punto corresponde a un número, se puede usar para demostrar que la suma y la resta son operaciones inversas. Una **expresión** consta de números o letras, o de la combinación de números y letras, con uno o más signos de operación. Una **expresión numérica** está formada por números combinados con uno o más signos. El signo **igual (=)** se usa para indicar que los números o expresiones son iguales. Una **ecuación** es una fórmula matemática que utiliza el signo igual para demostrar que dos expresiones son iguales. En esta actividad se usarán **números enteros**, que son los utilizados para contar, además del 0.

Ejercicios de práctica

1. En una recta numérica, encuentra la suma de 4 + 5.

   ¡Piensa!

   - 4 + 5 es una expresión que implica una suma.

   - En la recta numérica, la suma está representada por flechas que se mueven hacia la derecha.

   - Para trazar la primera flecha, parte de un punto por encima del cero en la recta. Con lápiz y regla, dibuja la flecha de 4 unidades avanzando hacia la derecha. La longitud de la flecha abarca 4 espacios hacia la derecha en la recta numérica, del 0 al 4. La punta de la flecha está sobre el 4 en la recta.

   - Partiendo del 4 en la recta numérica, cuenta hacia la derecha 5 espacios más, del 4 al 9. Con lápiz y regla, dibuja la segunda flecha iniciando en la punta de la primera y avanzando 5 espacios más a la derecha, de manera que la punta se encuentre ahora arriba del número 9 de la recta numérica.

   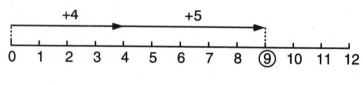

   Respuesta: 4 + 5 = 9

2. En una recta numérica, encuentra el resultado de 3 + 6 – 4.

   ¡Piensa!

   - 3 + 6 – 4 es una expresión numérica que incluye suma y resta.

   - La primera flecha debe iniciar en un punto arriba del 0 en la recta numérica. Con lápiz y regla dibuja la flecha, que deberá avanzar 3 espacios hacia la derecha, de manera que la punta se encuentre arriba del 3 de la recta.

ACTIVIDAD 1 (continuación)

- Ahora, comenzando en la punta de la flecha que termina en el número 3, con lápiz y regla dibuja una segunda flecha que avance 6 lugares más hacia la derecha. La punta se encuentra ahora arriba del 9 en la recta numérica.

- Después, empezando justo arriba de la punta de la flecha que termina en el número 9, dibuja otra flecha que retroceda 4 espacios hacia la izquierda, del 9 al 5 de la recta numérica.

- La punta de la última flecha se encuentra arriba del 5 en la recta numérica.

Respuesta: $3 + 6 - 4 = 5$

Ahora te toca a ti

Con regla y lápiz encuentra en la recta numérica el resultado de cada una de las siguientes operaciones.

1. $6 + 4$

    Respuesta: _____

2. $8 - 3$

    Respuesta: _____

3. $9 + 1 - 7$

    Respuesta: _____

4. $4 + 2 - 1 + 5$

    Respuesta: _____

5. $3 - 2 + 6 - 4$

    Respuesta: _____

1

ACTIVIDAD 2

Resuelve los problemas

Analizar significa separar una información dada en sus partes individuales, examinándolas y organizándolas para resolver un problema. El **enunciado de un problema** es una proposición matemática que está expresada con palabras y es necesario resolverla por medio de las matemáticas. Para resolver el enunciado de un problema, primero se analiza para determinar lo que se conoce (los datos), lo que se desea saber y las operaciones que se van a necesitar. Con esta información se escribe una expresión. El enunciado de un problema se resuelve evaluando (o solucionando) la expresión.

Ejercicios de práctica

Analiza cada uno de los enunciados de problema que se muestran enseguida, escribe una expresión para cada uno de ellos y luego, evalúa la expresión.

1. Ana tenía al principio 120 animalitos de peluche; eran tantos, que regaló 50. ¿Cuántos animalitos conservó Ana?

    ¡Piensa!

    - ¿Qué sabes?

        Ana tenía al principio 120 animalitos de peluche y después regaló 50 de ellos.

    - ¿Qué deseas saber?

        Cuántos animalitos conservó Ana.

    - ¿Qué operación se necesita?

        Dado que Ana está *regalando* los animalitos de peluche, la operación es una resta.

    - ¿Qué expresión representa al problema?

        120 animalitos – 50 animalitos

    - Evalúa la expresión.

        120 animalitos – 50 animalitos = ¿?

    Respuesta: Ana conservó 70 animalitos.

2. David vio televisión por 1 hora. Luego, sus padres salieron y dijeron que regresarían en 2 horas. Si David ve televisión hasta que sus padres regresen, ¿cuánto tiempo habrá visto televisión?

    ¡Piensa!

    - ¿Qué sabes?

        David vio televisión durante 1 hora, y la verá por 2 horas más.

    - ¿Qué quieres saber?

        El tiempo total que habrá visto televisión.

    - ¿Qué operación se necesita?

        Dado que se pretende saber el tiempo total, la operación es una suma.

    - ¿Qué expresión representa al problema?

        1 hora + 2 horas

- Evalúa la expresión
    1 hora + 2 horas = ¿?
Respuesta: David habrá visto televisión por 3 horas.

Ahora te toca a ti

Analiza cada enunciado de problema, escribe una expresión para cada uno de ellos y luego evalúa la expresión.

1. Fernanda cuidaba los perros de 15 clientes. Eran más animales de los que podía hacerse cargo, así que cedió 7 clientes a Andrea. ¿Cuántos clientes conservó Fernanda?

  a. ¿Qué sabes? _____

  b. ¿Qué quieres saber? _____

  c. ¿Qué operación se necesita? _____

  d. ¿Qué expresión representa el problema? _____

  e. Evalúa la expresión _____

2. Mónica ha estado cuidando a Jacobo por 2 horas. Los papás de Jacobo regresarán a casa en 3 horas. ¿Cuánto tiempo habrá cuidado Mónica a Jacobo para cuando los papás de éste regresen?

  a. ¿Qué sabes? _____

  b. ¿Qué quieres saber? _____

  c. ¿Qué operación se necesita? _____

  d. ¿Qué expresión representa el problema? _____

  e. Evalúa la expresión _____

3. A Fabiola le falta por correr un kilómetro. Si desea correr 4 kilómetros, ¿cuántos kilómetros lleva recorridos?

  a. ¿Qué sabes? _____

  b. ¿Qué quieres saber? _____

  c. ¿Qué operación se necesita? _____

  d. ¿Qué expresión representa el problema? _____

  e. Evalúa la expresión _____

4. Tomás recibió un pago de $15.00 por cortar el pasto, $10.00 por podar el seto y $5.00 por rastrillar hojas. ¿Cuánto ganó en total?

  a. ¿Qué sabes? _____

  b. ¿Qué quieres saber? _____

  c. ¿Qué operación se necesita? _____

  d. ¿Qué expresión representa el problema? _____

  e. Evalúa la expresión _____

Multiplicación

SUGERENCIAS PARA EL MAESTRO

Guías para evaluar el progreso

Al término del quinto grado, el alumno ya debe saber:

- Demostrar que comprende la estructura y las propiedades de la operación.
- Hacer generalizaciones a partir de la estructura de la multiplicación y explicar por qué una respuesta es correcta.

Al término del sexto grado y en primero de secundaria, el alumno ya debe saber:

- Representar operaciones con modelos, palabras y números.

En este capítulo se espera que el alumno:

- Use modelos para demostrar que la multiplicación es una suma repetida.
- Escriba ecuaciones de multiplicación.
- Reproduzca y aprenda las tablas de multiplicar del 1 al 10.

Prepare lo siguiente

Actividad: Cuadrícula para multiplicar.

- Crayones o marcadores de colores que los alumnos puedan usar para iluminar las casillas.

Investigación: Tiras para multiplicar.

- En cartulina blanca, elabore una copia de las Tablas de multiplicar I y II para cada alumno. *Nota*: si no cuenta con cartulina, saque copias de las páginas en papel blanco y pida a los estudiantes que peguen sus tiras sobre papel grueso, como fólders para archivo.

Para presentar los conceptos matemáticos

1. Explique los nuevos términos:

    factores: números que se multiplican entre sí para obtener un producto.

    multiplicación: operación que implica una suma repetida.

    producto: número obtenido como resultado de la multiplicación.

2. Explore los nuevos términos:

    - La multiplicación se usa para encontrar la cantidad total de una suma cuando se proporciona un cierto número de cantidades iguales.
    - La multiplicación es el camino corto para la suma de sumandos iguales. En otras palabras, la multiplicación es el proceso por el cual el mismo número se suma un número indicado de veces. Por ejemplo, si el 5 se multiplica por 3 (5×3), una forma de calcular la respuesta es sumar cinco veces el tres ($3 + 3 + 3 + 3 + 3 = 15$).
    - La multiplicación es un ejemplo de ecuación, que demuestra que dos expresiones son iguales. Por ejemplo, $2 \times 3 = 6$.

UN POQUITO MÁS

1. Muestre a sus alumnos la manera de comprobar el producto cuando se multiplica por 9, ya que la suma de los dígitos de cada producto siempre da 9. Por ejemplo:

$9 \times 2 = 18$	$1 + 8 = 9$
$9 \times 3 = 27$	$2 + 7 = 9$
$9 \times 6 = 54$	$5 + 4 = 9$
$9 \times 10 = 90$	$9 + 0 = 9$

2. Defina los enteros, que pueden ser positivos o negativos; por ejemplo, $-2, -1, 0, 1, 2$. Luego, muéstreles las reglas para multiplicarlos.

    - Cuando dos enteros tienen signos iguales, el producto será positivo.
        dos enteros positivos: $2 \times 4 = 8$
        dos enteros negativos: $-2 \times -4 = 8$
    - Cuando dos enteros tienen signos diferentes, el producto será negativo.
        un entero es negativo y el otro positivo:
        $-2 \times 4 = -8$
        un entero es positivo y el otro negativo:
        $2 \times -4 = -8$

RESPUESTAS
Actividad: Cuadrícula para multiplicar

A

$5 \times 4 = 20$

$4 + 4 + 4 + 4 + 4 = 20$

B

$4 \times 4 = 16$

$4 + 4 + 4 + 4 = 16$

C

$3 \times 7 = 21$

$7 + 7 + 7 = 21$

D

$2 \times 5 = 10$

$5 + 5 = 10$

E

$6 \times 6 = 36$

$6 + 6 + 6 + 6 + 6 + 6 = 36$

F

$6 \times 2 = 12$

$2 + 2 + 2 + 2 + 2 + 2 = 12$

2 ACTIVIDAD

Cuadrícula para multiplicar

La **multiplicación** es la operación que implica una suma repetida. Los **factores** son los números que se multiplican para obtener un **producto**, que es el número obtenido después de multiplicar.

Ejercicios de práctica

Representa en la cuadrícula la multiplicación 4 × 2.

1. Con crayones o marcadores de colores, ilumina las casillas de la cuadrícula para representar la multiplicación. Supón que el primer factor es igual al número de hileras (agrupamiento horizontal) y el segundo factor es igual al número de casillas por hilera.

¡Piensa!

- Los factores de una multiplicación son los números que se multiplican entre sí, para obtener un producto, en este caso 4 y 2.

- El primer factor es 4 y el segundo es 2, así es que habrá cuatro hileras coloreadas con dos casillas en cada una.

Respuesta:

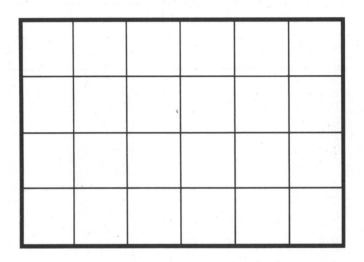

ACTIVIDAD (continuación)

2. Escribe una ecuación que represente la multiplicación propuesta.

¡Piensa!

- El producto, que es 8, es el número que se obtiene después de multiplicar.

- Una ecuación indica que dos expresiones son iguales.

Respuesta: $4 \times 2 = 8$

3. Escribe la multiplicación como una suma.

¡Piensa!

- La multiplicación es el camino corto para resolver una suma de sumandos iguales.

- El producto de 4×2 es el mismo que la suma de cuatro veces 2.

Respuesta:

$2 + 2 + 2 + 2 = 8$

Ahora te toca a ti

En la hoja de "Respuestas de las multiplicaciones", representa las siguientes operaciones:

A. 5×4

B. 4×4

C. 3×7

D. 2×5

E. 6×6

F. 6×2

1. Para representar cada multiplicación, colorea las casillas de la cuadrícula en la hoja de respuestas. El primer factor será igual al número de hileras y el segundo al número de casillas por hilera.

2. Debajo de las casillas coloreadas escribe una ecuación que represente a cada multiplicación.

3. Debajo de cada ecuación, escribe la multiplicación como suma.

ACTIVIDAD (continuación)

Respuestas de las multiplicaciones

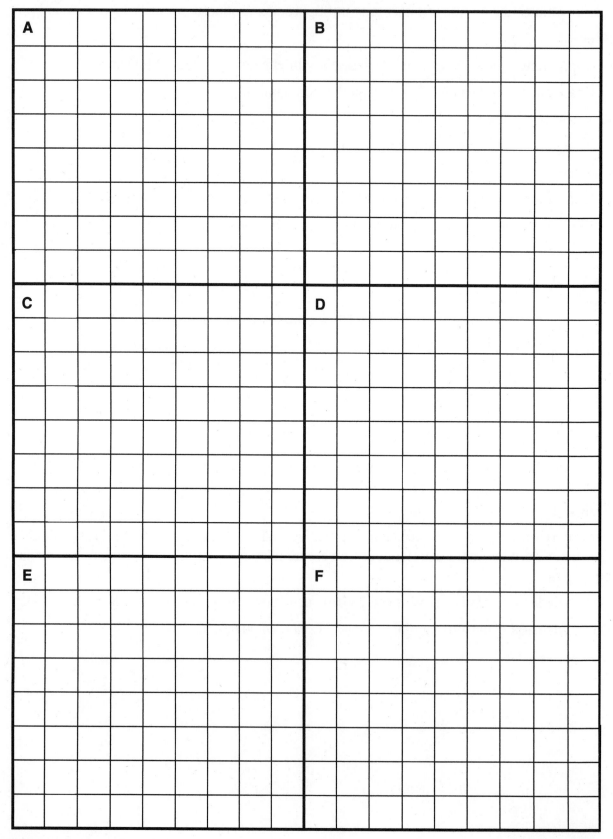

Tiras para multiplicar

OBJETIVO

Preparar tiras para las tablas de multiplicar del 1 al 10.

Materiales

copias de las Tablas de multiplicar I y II
diez crayones de colores diferentes (a tu
    elección)
pluma
tijeras
lápiz
perforadora
broche de patitas para papel

Procedimiento

1. En cada una de las diez tablas, usa un crayón diferente para colorear ligeramente los cuadros sombreados que contienen números.

2. Llena los espacios en las tablas de multiplicar. Por ejemplo, para la del 2, multiplica por 2 cada número de la columna vertical.

3. Con las tijeras, separa las tablas cortando a lo largo de las líneas punteadas.

4. Con la perforadora, haz un hoyo en la parte inferior de cada tabla en el lugar indicado.

5. Coloca las tablas de multiplicar una encima de la otra en orden numérico del 1 al 10.

6. Inserta el broche para papel a través de todos los hoyos y asegúralo.

7. Estudia una de las tablas y trata de memorizarla. Luego intenta repetirla en voz alta sin verla. Para verificar si lo estás haciendo bien, puedes consultarla de nuevo. Repite cada tabla hasta que te salgan bien sin verlas.

Resultados

Hiciste un juego de tiras para las tablas de multiplicar del 1 al 10. Usa las tablas periódicamente para refrescar tu memoria.

2s	
	2
1	2
2	4
3	6
4	8
5	10
6	12
7	14
8	16
9	18
10	20

○————— Hoyo

2 INVESTIGACIÓN (continuación)

Tablas de multiplicar I

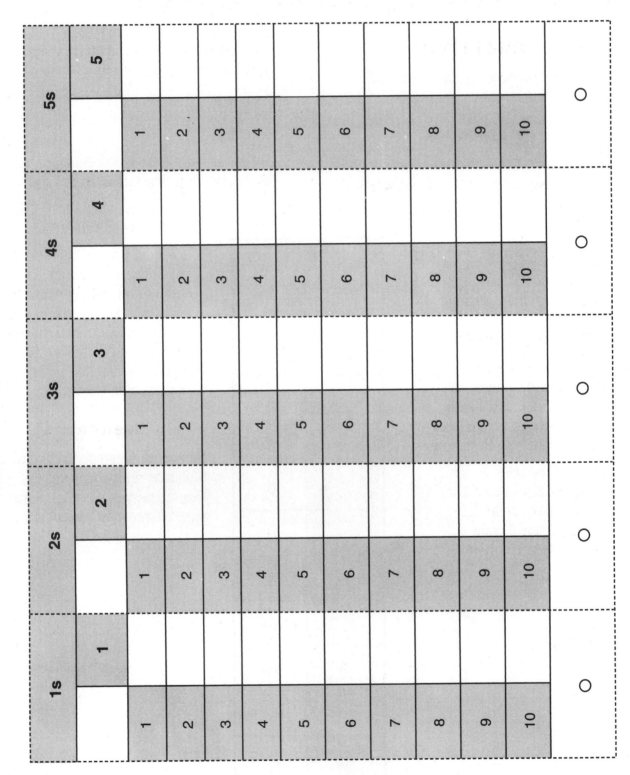

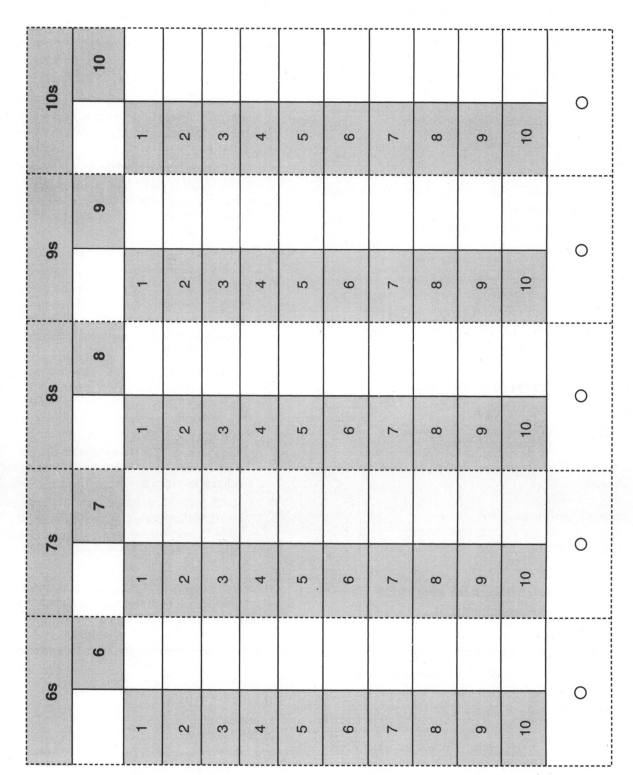

Tablas de multiplicar II

División
SUGERENCIAS PARA EL MAESTRO

Guías para evaluar el progreso

Al término del quinto grado, el alumno ya debe saber:

- Usar operaciones inversas para comprobar si el cociente de una división o el producto de una multiplicación son correctos.
- Demostrar que comprende la estructura de la división y sus propiedades.
- Hacer generalizaciones a partir de dicha estructura y explicar por qué una respuesta es correcta.

Al término del sexto grado y en primero de secundaria, el alumno ya debe saber:

- Representar operaciones con modelos, palabras y números.

En este capítulo se espera que el alumno:

- Utilice modelos para demostrar que la división es una forma de partir (repartir) o restar varias veces.
- Use la multiplicación para comprobar si el cociente de una división es correcto.

Prepare lo siguiente

Actividad: División con fichas

- Reúna objetos pequeños como monedas, botones o clips con el fin de usarlos como contadores.
- Se pueden usar vasos desechables para separar las fichas.

Investigación: Grupos iguales

- Cerciórese de que cada alumno o equipo cuente con un juego de crayones y una hoja de papel.

Para presentar los conceptos matemáticos

1. Explique los nuevos términos:

    cociente: número que es el resultado de la división y es distinto al entero que constituye el residuo; es la solución en una división.

    dividendo: número que se divide entre otro en la división.

    divisible: se dice de un número que puede dividirse entre otro sin que quede un residuo.

    división: operación que indica cuántos grupos hay o cuántos componentes tiene cada grupo.

    divisor: número entre el cual se divide un dividendo.

    residuo: número menor que el divisor que sobra al final de la división.

2. Explore los nuevos términos:

    - En la división, un dividendo se divide entre el divisor para obtener un cociente. En la operación $a \div b = c$, a es el dividendo, b el divisor y c el cociente.
    - En la división, si el dividendo no puede dividirse en un número igual de grupos, habrá un residuo. La letra R se usa para identificar el residuo. Por ejemplo, en la siguiente operación, 3 es el residuo: $43 \div 5 = 8$, R: 3.
    - Se puede decir que la división es una forma de:

        a. PARTIR O REPARTIR. Una cantidad se divide en partes iguales. Por ejemplo, si se reparten 18 caramelos entre 3 niños, cada uno de ellos recibirá un número igual de dulces. Cada niño tendrá 6 caramelos, según se determina con el cálculo $18 \div 3 = 6$.

        b. RESTAR REPETIDAMENTE. Una cantidad específica que se sustrae en forma repetida de un todo. Por ejemplo, se restan varias veces 6 caramelos de los 18 que hay y se colocan en montones separados. La resta sería $18 - 6 = 12$; $12 - 6 = 6$; $6 - 6 = 0$. Habría tres pilas con 6 dulces cada una. Esto se determina por el cálculo $18 \div 6 = 3$.

        c. LO CONTRARIO DE MULTIPLICAR. El dividendo dividido entre el divisor es igual al cociente; por lo tanto, el cociente multiplicado por el divisor es igual al dividendo. Por ejemplo, $18 \div 6 = 3$, así que $3 \times 6 = 18$.

    - La multiplicación y la división son operaciones inversas; es decir, si se comienza con un número dado y luego se multiplica y divide éste por y entre el mismo número, el resultado será la cifra original. Por ejemplo, si se comienza con el número 12 y se multiplica éste por 4 y luego se divide entre cuatro, el resultado será 12. $12 \times 4 \div 4 = 12$.
    - El cociente no incluye el residuo si éste está escrito como número entero. Por ejemplo, $90 \div 40 = 2$, R: 10. Para comprobar la división, el cociente 2 se multiplica por el divisor: $2 \times 40 = 80$. Luego, el residuo se suma al producto y el resultado será igual al dividendo: $80 + 10 = 90$.

SUGERENCIAS PARA EL MAESTRO (continuación)

UN POQUITO MÁS

1. Enseñe a sus alumnos a dividir números enteros siguiendo estas reglas:
   a. Cuando dos enteros (dividendo y divisor) tienen signos iguales, el cociente será positivo.
      dos enteros positivos: $18 \div 6 = 3$
      dos enteros negativos: $-18 \div -6 = 3$
   b. Cuando dos enteros (dividendo y divisor) poseen signos diferentes, el cociente será negativo.
      dividendo positivo y divisor negativo: $18 \div -6 = -3$
      dividendo negativo y divisor positivo: $-18 \div 6 = -3$
2. Explique a sus alumnos que si el residuo es una fracción o un decimal, es parte del cociente. Por ejemplo, $9 \div 4 = 2\frac{1}{4}$ o 2.25. Recuerde que el cociente multiplicado por el divisor es igual al dividendo, de manera que $2\frac{1}{4}$ y 2.25 son cocientes correctos para la división $9 \div 4$, ya que $2\frac{1}{4} \times 4 = 9$ y $2.25 \times 4 = 9$.
3. Explíqueles que un *conjunto* es una colección de números y que los *números reales* pueden ser definidos como los elementos del conjunto (los números racionales más los números irracionales). Compare los números racionales con los irracionales. Un número racional es un número sin decimales, que tiene un decimal finito, un decimal con un número o un bloque de números repetidos. Tome el ejemplo, $4 \div 2 = 2$; aquí, el cociente 2 es un número racional. Y en este otro ejemplo: $10 \div 3 = 3.3333...$, también es un número racional en el que los puntos indican que el último número se repite. Dibujar una línea abajo o arriba del último número también indica que éste se repite; de manera que, el cociente $3.3\underline{3}$ es un número racional.

   Un número que lleva un decimal, que no tiene un número o patrón de números repetidos, se conoce como *número irracional*. Por ejemplo, pi $(\pi) = \frac{22}{7} = 3.1415926535...$ En el caso de un número irracional, los puntos indican que no tiene un número o patrón de números repetidos. Aunque el uso de la computadora ha hecho posible dividir pi hasta obtener 100 millones de lugares decimales, este cálculo no tiene ningún propósito práctico.

RESPUESTAS

Actividad: División con fichas

1. $14 \div 2 = 7$
   Comprobación: $7 \times 2 = 14$
2. $18 \div 6 = 3$
   Comprobación: $3 \times 6 = 18$
3. $10 - 3 = 7$, $7 - 3 = 4$, $4 - 3 = 1$; $10 \div 3 = 3$, R: 1
   Comprobación: $3 \times 3 = 9$, $9 + 1 = 10$
4. $15 - 6 = 9$, $9 - 6 = 3$; $15 \div 6 = 2$, R: 3
   Comprobación: $6 \times 2 = 12$, $12 + 3 = 15$

Investigación: Grupos iguales

10 figuras
2 cuadros restantes

8 figuras
0 cuadros restantes

ACTIVIDAD

División con fichas

La **división** es la operación que indica cuántos grupos hay o cuántos elementos tiene cada grupo. En la división, el **dividendo** se divide entre el **divisor**, para obtener el **cociente** (el resultado). Un número es **divisible** si se puede dividir entre otro una cantidad determinada de veces. Si un número no es divisible, queda un **residuo**, es decir, el número que queda al terminar la división y que es menor que el divisor.

Ejercicios de práctica

1. Emplea fichas para resolver la división 12 ÷ 3 como una forma de repartir. Por ejemplo, si 3 personas comparten 12 monedas, ¿cuántas recibirá cada una?

   ¡Piensa!

   - En la división 12 ÷ 3 = ¿?, 12 es el dividendo, 3 el divisor y los signos de interrogación (¿?) representan al cociente.

   - El número del divisor indica en cuántos grupos se divide el dividendo.

   - Cuando se parte o reparte, una cantidad se divide en partes iguales. Imagina que 12 monedas se dividen en tres grupos, con un número igual de monedas en cada uno. Coloca 3 monedas en la mesa en tres lugares separados. Sigue colocando 1 moneda en cada grupo hasta que las hayas repartido todas. ¿Cuántas monedas hay en cada grupo?   4.

   Respuesta: 12 ÷ 3 = 4

2. Usa fichas para resolver la división 12 ÷ 3 como una resta repetida. Por ejemplo, si 12 monedas se dividen de manera que cada persona reciba 3 de ellas, ¿cuántas personas reciben monedas?

   ¡Piensa!

   - En la resta repetida, un grupo de objetos se sustrae en forma repetida de un todo. Imagina quitar 3 monedas de 12 de ellas hasta que te queden 0. Coloca cada grupo de 3 monedas sustraídas en una pila separada sobre la mesa. La resta sería 12 – 3 = 9; 9 – 3 = 6; 6 – 3 = 3; 3 – 3 = 0.

ACTIVIDAD (continuación)

3

- El número de pilas de monedas (4) es igual al número de veces que se sustrae cada grupo de 3 monedas.

Respuesta: $12 \div 3 = 4$

3. Usa la multiplicación para comprobar la respuesta de la división anterior, $12 \div 3$.

¡Piensa!

- El cociente de una división multiplicado por su divisor es igual al dividendo.

- En la división $12 \div 3 = 4$, el cociente es 4, el divisor es 3 y el dividendo es 12.

Respuesta: $4 \times 3 = 12$

4. Usa las fichas para indicar las restas repetidas para la división $7 \div 2$.

¡Piensa!

- Sustrae 2 monedas de las 7 hasta que queden 0 o menos de 2 monedas. Coloca cada grupo de 2 monedas que hayas sustraído en una pila separada sobre la mesa. La resta debe ser: $7 - 2 = 5$; $5 - 2 = 3$; $3 - 2 = 1$.

- El número de pilas de monedas (3) es igual al número de veces que se sustrae un grupo de dos de ellas; el número de monedas menor de 2 que queda se llama residuo.

- R: 1 indica que el residuo es 1.

Respuesta: $7 \div 2 = 3$, R: 1.

5. Usa la multiplicación para comprobar la respuesta de la división $7 \div 2$.

¡Piensa!

- En la división $7 \div 2 = 3$, R: 1, el cociente es 3 y el residuo es 1.

- El cociente multiplicado por el divisor más el residuo es igual al dividendo.

Respuesta: $2 \times 3 = 6$, $6 + 1 = 7$

Ahora te toca a ti

Usa fichas para resolver las siguientes divisiones como una forma de partir o repartir. Utiliza la multiplicación para comprobar cada respuesta.

1. $14 \div 2$ _____

2. $18 \div 6$ _____

Usa fichas para resolver las siguientes divisiones como una forma de resta repetida. Utiliza la multiplicación para comprobar cada respuesta.

3. $10 \div 3$ _____

4. $15 \div 6$ _____

INVESTIGACIÓN

Grupos iguales

OBJETIVO

Demostrar cómo puede dividirse algo en grupos iguales.

Materiales

hoja tamaño carta
crayones

Procedimiento

1. Dobla el papel a la mitad cinco veces. Primero, dobla el papel tres veces de abajo hacia arriba. Luego, dóblalo dos veces de lado a lado.

2. Desdobla el papel. Las líneas de doblez dividen a la hoja en 32 cuadros.

3. Observa la figura de la derecha, formada por 3 cuadros en forma de "L".

4. Determina en cuántas "L" pueden dividirse los 32 cuadros para que quede el menor número de cuadros sin formar una "L". Haz esto coloreando cada figura con un color diferente. Sigue este ejemplo:

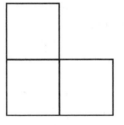

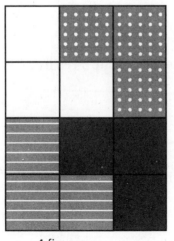

4 figuras
0 cuadros restantes

5. Observa la forma de "L" más grande, de 4 cuadros, que aparece abajo.

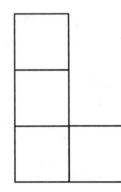

6. Voltea el papel y determina en cuántas "L" grandes puedes dividir el papel para que quede el menor número de cuadros sin formar estas "L" de 4 cuadros. Una pista es voltear el papel de manera que uno de los lados grandes quede hacia arriba.

Resultados

El papel puede dividirse en 10 figuras de "L" pequeñas, con un residuo de 2 cuadros, y en 8 figuras de "L" grandes (4 cuadros), sin residuo alguno.

¿Por qué?

Los cinco dobleces dividen al papel en 32 cuadros. Dividirlo en figuras de "L" de 3 cuadros es igual a la división $32 \div 3 = 10$ R: 2. Dividir el papel en figuras de "L" de 4 cuadros es lo mismo que la división $32 \div 4 = 8$.

Decimales

Guías para evaluar el progreso

Al término del quinto grado, el alumno ya debe saber:
- Leer, escribir, comparar y ordenar números decimales hasta la posición de las milésimas.

Al término del sexto grado y en primero de secundaria, el alumno ya debe saber:
- Comparar y ordenar números decimales.
- Comunicar ideas matemáticas por medio de modelos.

En este capítulo se espera que el alumno:
- Compare decimales equivalentes.
- Compare y ordene decimales.
- Escriba el valor decimal del dinero.

Para presentar los conceptos matemáticos

1. Explique los nuevos términos:
   centésima: una de 100 partes iguales de un entero; el segundo lugar después del punto decimal.

   décima: una de 10 partes iguales de un entero; el primer lugar después del punto decimal.

   mayor que (>): signo que significa "es mayor que".

   menor que (<): signo que significa "es menor que".

   milésima: una de 1000 partes iguales de un entero; el tercer lugar después del punto decimal.

   número decimal: número que lleva un punto decimal para indicar décimas, centésimas, milésimas, etcétera.

   números decimales equivalentes: aquellos que representan la misma cantidad.

   punto decimal: en los números decimales, el punto que se coloca entre el lugar de las unidades y el de las décimas.

2. Explore los nuevos términos:
   - Las palabras que se usan para designar decimales terminan en *–ésima* o *–ésimas*. Lea en voz alta estos números: 2, 0.2, 32, 0.32, 4,000, 0.004 (dos, dos décimas, treinta y dos, treinta y dos centési-

mas, cuatro mil, cuatro milésimas). Los alumnos pueden practicar la lectura en voz alta de números enteros y decimales.

- El punto decimal siempre separa las unidades y las décimas en un número decimal.

- El dinero se puede utilizar para explicar qué son las centésimas. Se requieren 100 centavos para hacer un peso. El signo de pesos es $. Un centavo se escribe empleando un decimal: $0.01 (un centésimo de un peso entero). Así, 85 centavos son menos que un peso completo y se escriben como $0.85 (ochenta y cinco centésimas de un peso entero).

- Para cantidades menores que uno que lleven un decimal, se escribe un 0 en el lugar del uno, como en 0.234, que se lee como "doscientos treinta y cuatro milésimas".

- Los números decimales están constituidos por dos partes, los enteros y las fracciones. Estas partes están separadas por un punto decimal.

- Para leer un número decimal, se aplican los siguientes pasos:

   1) Lea el número que está antes del punto decimal diciendo al final la palabra entero o enteros, según sea el caso.

   2) Después de una breve pausa, lea el número que está después del punto decimal en la misma forma en que leería un número entero, sólo que al final debe decir el valor del último dígito de la fracción, es decir, décimas, centésimas, etcétera.

   Por ejemplo, el número 300.034 se lee: trescientos enteros, treinta y cuatro milésimas.

- Lea diferentes cantidades decimales y muestre el valor de cada numeral colocando el número completo en una tabla de valor posicional, como en los siguientes ejemplos:

   a. 23.45 (veintitrés enteros, cuarenta y cinco centésimas)

   b. 0.653 (seiscientos cincuenta y tres milésimas)

   c. 0.8 (ocho décimas)

   d. 3,400.07 (tres mil cuatrocientos enteros, siete centésimas)

TABLA DE VALOR POSICIONAL

millares	centenas	decenas	unidades	punto decimal	décimas	centésimas	milésimas
		2	3	.	4	5	
			0	.	6	5	3
			0	.	8		
3	4	0	0	.	0	7	

- Si hay un 0 en el lugar de las centésimas en un número decimal de dos dígitos, el número puede ser cambiado a décimas, y se obtendrán dos números equivalentes. Por ejemplo, cincuenta centésimas (0.50) es igual a cinco décimas (0.5). El signo = se usa para indicar que los números o expresiones tienen el mismo valor. Por ejemplo: 0.50 = 0.5.

- El signo < se usa para indicar que un número o expresión es menor que otro u otra. Por ejemplo: 0.04 < 0.60.

- El signo > se usa para indicar que un número o expresión es mayor que otro u otra. Por ejemplo: 0.60 > 0.04.

UN POQUITO MÁS

1. La *notación científica*, también llamada *notación de potencia 10*, es una manera de escribir los números; casi siempre se usa cuando se escriben números muy grandes o muy pequeños. Una *potencia* es un *exponente* (el número que va en la parte superior derecha de otro número base e indica cuántas veces se multiplica la base por sí misma). Un *número base* es aquel que debe ser multiplicado por sí mismo la cantidad de veces indicada por el valor del exponente. En la notación científica la base es diez, y la potencia indica el número de lugares decimales. Si la potencia es positiva, los lugares decimales irán antes del punto. Así, 4×10^3 significa "mover el punto decimal tres lugares a la derecha y llenar los lugares vacíos con ceros". Otra forma de expresarlo es: multiplicar por 10 tres veces. $4 \times 10^3 = 4 \times 10 \times 10 \times 10 = 4,000$.

   Si la potencia es negativa, los lugares decimales se ubicarán antes del punto decimal. Así, 4×10^{-3} significa "mover el punto decimal tres lugares a la izquierda y llenar los huecos con ceros". Otra forma de expresarlo es: multiplicar por $^1/_{10}$ tres veces.

$4 \times 10^{-3} = 4 \times {}^1/_{10} \times {}^1/_{10} \times {}^1/_{10} = 0.0004$

La manera acostumbrada de escribir con notación científica, llamada *forma estándar*, es mover el decimal hacia atrás o a la derecha del primer dígito mayor que o igual a 1 y multiplicarlo por 10 elevado a la potencia que representa el lugar decimal.

EJEMPLOS

A. Expresar 356 en notación científica.
   Veamos
   - Contar cuántos lugares se debe desplazar el punto decimal para que quede a la derecha del primer dígito mayor que o igual a 1. En el ejemplo, son dos lugares decimales.
   - El número de lugares que el punto decimal se desplaza es el exponente de 10. Dado que el punto decimal se mueve hacia la izquierda, entonces el exponente es positivo.
   - Multiplicar 3.56 por 10^2.
   Respuesta: 3.56×10^2

B. Expresar 0.564 en notación científica.
   Veamos
   - Mover el punto decimal de manera que quede a la derecha del primer dígito mayor que o igual a 1.
   - El número de lugares que el punto decimal se desplaza es uno. Así, el exponente de 10 es 1. Dado que el punto decimal se mueve hacia la derecha, entonces el exponente es negativo.
   - Multiplicar 5.64 por 10^{-1}.
   Respuesta: 5.64×10^{-1}

2. Para asegurarse de que todos los chicos lleguen a la misma respuesta para un problema, aplique el conjunto de reglas del *orden de las operaciones*. Este orden es: 1) simplificar lo que está dentro de los paréntesis; 2) simplificar los exponentes; 3) multiplicar y dividir de izquierda a derecha; 4) sumar y restar de izquierda a derecha.

EJEMPLOS

- $6 \times (3 + 2)$

  $6 \times (3 + 2) = 6 \times 5$ simplificar primero lo que está dentro del paréntesis

        $= 30$ multiplicar

- $3^2 - 5$

  $3^2 - 5 = 9 - 5$ simplificar primero los exponentes

        $= 4$ restar

- $8 + 6 \times 4$

  $8 + 6 \times 4 = 8 + 24$ primero multiplicar

        $= 32$ sumar

- $20 \div 4 \times 6$

  $20 \div 4 \times 6 = 5 \times 6$ primero resolver la parte de la izquierda

        $= 30$ resolver la parte de la derecha

RESPUESTAS

Actividad 1: Decimales

1. 0.43
2. 0.7
3. 2.55
4. cinco enteros, ocho centésimas
5. dos enteros, cinco décimas
6. una milésima
7. veintitrés centésimas
8. diez enteros, cuarenta y cuatro centésimas
9. noventa y nueve centésimas
10. ocho décimas

11.

a. cero
b. siete
c. setenta y cinco centésimas

12.

a. dos
b. ocho
c. dos enteros, ocho décimas

Actividad 2: Comparación de decimales

1.
   a. 1.2   d. 25.60
   b. 0.30   e. 0.040
   c. 0.5   f. 0.770

2.
   a. <   d. >
   b. >   e. =
   c. <   f. =

4 ACTIVIDAD 1

Decimales

Un **número decimal** es aquel que lleva un punto decimal para indicar décimas, centésimas, milésimas, etcétera. El **punto decimal** se coloca entre el lugar de las unidades y las décimas de un número decimal, como en 2.5. Una **décima** es 1 de diez partes iguales de un entero y ocupa el primer lugar después del punto decimal, como el 5 en 2.5. Una **centésima** es 1 de 100 partes iguales de un entero y ocupa el segundo lugar después del punto decimal, como el 6 en 2.56. Una **milésima** es 1 de 1,000 partes iguales de un entero y ocupa el tercer lugar después del punto decimal, como el 1 en 2.561.

Ejercicios de práctica

Escribe el nombre de cada número decimal; después sombrea las casillas que los representen.

1. 0.4

¡Piensa!
- La cuadrícula se divide en 10 casillas iguales. Cada una de ellas representa una décima de la cuadrícula completa.
- El número decimal 0.4 se lee "cuatro décimas". Por lo tanto, cuatro casillas de una décima, cada una representa el número decimal.

Respuesta: cuatro décimas

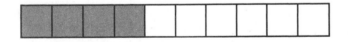

2. 1.29

ACTIVIDAD 1 (continuación)

¡Piensa!

- Cada cuadrícula se divide en 100 casillas. Cada una de éstas representa una centésima de la cuadrícula completa.

- El número decimal 1.29 se lee: "un entero, veintinueve centésimas". Por lo tanto, el número decimal se representa con una cuadrícula completa más 29 casillas de otra cuadrícula.

Respuesta: un entero, veintinueve centésimas

Ahora te toca a ti

Escribe cada número en forma de decimal.

1. cuarenta y tres centésimas _____

2. siete décimas _____

3. dos enteros, cincuenta y cinco centésimas _____

Escribe con palabras cada número decimal.

4. 5.08 _____

5. 2.5 _____

6. 0.001 _____

7. 0.23 _____

8. 10.44 _____

9. 0.99 _____

10. 0.8 _____

11. Sombrea las casillas para indicar el número decimal 0.75. Después responde las preguntas.

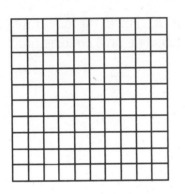

a. ¿Cuántos enteros tiene? _____

b. ¿Cuántas décimas tiene? _____

c. Escribe con palabras el número decimal: _____

12. Sombrea las casillas para indicar el número decimal 2.8. Después responde las preguntas.

a. ¿Cuántos enteros tiene? _____

b. ¿Cuántas décimas tiene? _____

c. Escribe con palabras el número decimal: _____

ACTIVIDAD 2

Comparación de decimales

Los **números decimales equivalentes** son aquellos que indican la misma cantidad. Los signos: =, < y > se usan para comparar decimales. El símbolo = significa "igual a", < quiere decir "es **menor que**" y > significa "es **mayor que**".

Ejercicios de práctica

1. Compara los siguientes decimales. Usa =, < o > para cada respuesta.

   a. 0.5 ___ 5.0

   ¡Piensa!

   • Escribe los números con sus puntos decimales alineados.

   • Compara los dígitos en cada lugar, yendo de izquierda a derecha.

   • Si comparas los dígitos que ocupan el lugar de las unidades, verás que: 0 < 5, así que 0.5 < 5.0.

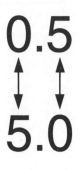

   Respuesta: 0.5 < 5.0

   b. 2.56 ___ 2.562

   ¡Piensa!

   • Escribe los números con sus puntos decimales alineados.

   • Para que cada decimal tenga un número en el lugar de las milésimas, puedes añadir un 0 a la derecha de 2.56, para obtener 2.560.

   • Compara los dígitos en cada lugar, yendo de izquierda a derecha.

   • Los dígitos que ocupan el lugar de las unidades, décimas y centésimas son iguales, pero en las milésimas, 2 > 0. Así que, 2.562 > 2.560.

   Respuesta: 2.562 > 2.560

4 ACTIVIDAD 2 (continuación)

Ahora te toca a ti

1. Escribe un decimal equivalente para cada uno de los siguientes números:

a. 1.20 _____

b. 0.3 _____

c. 0.50 _____

d. 25.6 _____

e. 0.04 _____

f. 0.77 _____

2. Escribe =, < o > para comparar cada par de números decimales:

a. 0.04 ____ 0.40

b. 22.0 ____ 0.22

c. 0.09 ____ 9.0

d. 6.5 ____ 0.065

e. 0.7 ____ 0.70

f. 3.5 ____ 3.500

Fracciones

SUGERENCIAS PARA EL MAESTRO

Guías para evaluar el progreso

Al término del quinto grado, el alumno debe saber:

- Determinar las partes de una fracción y escribir fracciones simplificadas (en su expresión mínima).
- Usar un modelo para representar fracciones.
- Identificar fracciones en situaciones cotidianas.

Al término del sexto grado y en primero de secundaria, el alumno ya debe saber:

- Determinar las relaciones entre fracciones.

En este capítulo se espera que el alumno:

- Cuente y determine las fracciones que forman un entero.

Prepare lo siguiente

Investigación: Repartición de dulces.

- Lo ideal es que los chicos trabajen en equipos de tres integrantes, aunque también se puede hacer con equipos más grandes o más pequeños.
- Por cada equipo, 3 bolsas resellables (tamaño sándwich está bien) con dulces. Numere las bolsas: 1, 2 y 3. Seleccione 4 colores de dulces y coloque cantidades variables de cada color en las bolsas. Cada una de éstas deberá tener un número total diferente de dulces: la bolsa 1 deberá tener 6 dulces, la 2 debe tener 12 dulces y la 3 tendrá 18 dulces. Cada equipo completará una hoja de investigación por bolsa, o cada estudiante podrá registrar los resultados para una bolsa en particular. Indique a los alumnos que no abran las bolsas de dulces antes o durante la actividad.

Para presentar los conceptos matemáticos

1. Explique los nuevos términos:

   barra de división: la línea que separa al numerador del denominador en una fracción.

   datos: cada una de las cantidades conocidas, sean éstas observaciones o hechos medidos, que son citadas en el enunciado de un problema y que son la base para su solución.

   denominador: número inferior de una fracción; indica el total de partes iguales en el entero.

   fracción: número empleado para expresar una parte de un entero; está constituida por dos números separados por una línea.

   gráfica: representación de datos en forma organizada mediante figuras geométricas.

   gráfica circular: gráfica en forma de círculo que se divide en secciones para indicar las partes que integran al entero.

   numerador: el número que se escribe arriba de la línea de una fracción; representa la cantidad de partes iguales que se están considerando.

   número mixto: número formado por un número entero y una fracción.

2. Explore los nuevos términos:

   - Una fracción indica en cuántas partes se dividió un todo.

   - Una fracción está constituida por dos números separados por una línea llamada barra de división. Por ejemplo, $3/4$ es una fracción. El número de arriba de toda fracción se llama numerador y el de abajo denominador. En este ejemplo, 3 es el numerador y 4 el denominador.

   - Para leer una fracción, primero diga el numerador y luego el denominador. Por ejemplo, $1/8$ se lee como "un octavo".

   - Una fracción es un número que compara parte de un objeto o conjunto con la totalidad de dicho objeto o conjunto. Las fracciones se expresan en términos de a/b, donde b no es 0.

   - Son ejemplos de números mixtos $1 1/2$ y $23 2/3$.

   - Una gráfica circular es una forma de indicar las fracciones en que se ha dividido un entero. La gráfica A está dividida en dos partes iguales, de manera que cada una de ellas representa la fracción $1/2$. La gráfica B está dividida en cuatro partes iguales y cada una de ellas representa la fracción $1/4$.

Gráficas circulares

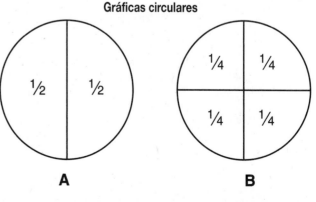

A   B

UN POQUITO MÁS

1. Prepare una hoja de trabajo que tenga una tabla de datos de fracciones por color, como la que aparece aquí. Incluya preguntas como las que se presentan en seguida, para cuya respuesta se requiere que los alumnos usen la tabla. *Nota*: en las preguntas muestra se usan las letras A, B, C y D. Reemplácelas por los colores de los dulces que utilice.

   a. Comparar las fracciones de las bolsas 1 y 2 para contestar estas preguntas:

   - Hacer una lista de las fracciones de dulces del color A para las dos bolsas, en orden descendente (de mayor a menor).

   - ¿Cuál bolsa tiene la fracción más grande de dulces del color C? _____

   b. Comparar las fracciones de las tres bolsas para responder estas preguntas:

   - Indicar en orden descendente la fracción que hay en cada bolsa de dulces del color D. _____
   _____

   - Indicar en orden ascendente (de menor a mayor) la fracción que hay en cada bolsa del dulces del color B. _____
   _____

   c. Preparar una tabla en la que usarán números decimales en lugar de fracciones.

DATOS DE FRACCIONES POR COLOR			
Bolsa	Color de los dulces		
1			
2			
3			

RESPUESTAS

Actividad: Fracciones

1. **a.** $^3/_5$

   b. $^2/_5$

2. **a.** $^3/_7$

   b. $^2/_7$

   c. $^1/_7$

3. $1^4/_8$ o $1^1/_2$

ACTIVIDAD

Fracciones

Una **fracción** es el número que se usa para expresar una parte del entero; está formada por dos números separados por una línea. Por ejemplo, $^2/_3$ y $^6/_{15}$ son fracciones. La **barra de división** es la línea que separa al numerador del denominador en una fracción. El número que está arriba de la línea es el **numerador** y representa la cantidad de partes iguales que se están considerando. El número que está abajo de la línea es el **denominador** e indica el total de partes iguales en el todo. Un **número mixto** está formado por un entero y una fracción, como en $1^1/_2$. Una **gráfica** es un dibujo que se emplea para mostrar un conjunto de **datos** (observaciones y/o hechos medidos) de manera organizada. Una **gráfica circular** es aquella que tiene la forma de un círculo y se divide en secciones que indican cómo el todo o entero se divide en partes.

Régulo

LEO EL LEÓN

Ejercicios de práctica

1. ¿Qué fracción de estrellas forma la cabeza del león?

   ¡Piensa!

   - En este problema el numerador es el número de estrellas que hay en la cabeza del león, que es 6.
   - El denominador es el número total de estrellas, que es 9.
   - 6 de las 9 estrellas están en la cabeza del león.

   Respuesta: $^6/_9$

2. ¿Qué número mixto representa las partes sombreadas de las gráficas circulares?

   ¡Piensa!

   - La primera gráfica circular está totalmente sombreada, por lo cual equivale a 1 círculo entero.
   - La segunda gráfica circular tiene dos partes sombreadas de las cuatro que la forman, por lo que equivale a $^2/_4$ o $^1/_2$.
   - El número mixto que representa a las gráficas circulares es la suma de $1 + ^1/_2$.

   Respuesta: $1^1/_2$

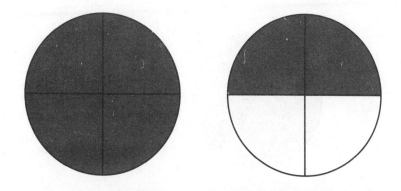

Ahora te toca a ti

1. **a.** ¿Qué fracción de la familia del dibujo es de hombres? _____

    b. ¿Qué fracción de la familia es de adultos? _____

2. **a.** ¿Qué fracción de estos animales puede volar? _____

    b. ¿Qué fracción de estos animales se encuentra sobre hojas de lirio? _____

    c. ¿Qué fracción de estos animales no tiene patas? _____

3. ¿Qué número mixto representan las partes sombreadas de las gráficas circulares?_____

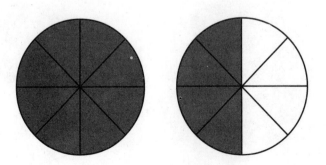

INVESTIGACIÓN

Repartición de dulces

OBJETIVO

Determinar las fracciones de dulces que hay en una bolsa.

Materiales

bolsa de plástico con dulces

Procedimiento

1. Sin abrir la bolsa, observa los dulces a través de ésta.

2. Registra los diferentes colores de los dulces en la primera columna de la tabla "Datos de fracciones de dulces".

3. Cuenta el número de dulces de cada color y anótalo en la tabla de datos.

4. Determina el número total de dulces en la bolsa sumando las cantidades de cada color.

5. Usa el número total de dulces y la cantidad de cada color para escribir las fracciones en la tabla de datos.

DATOS DE FRACCIONES DE DULCES		
Color de los dulces	Número de piezas	Fracción

6. A partir de la tabla que llenaste, responde estas preguntas:

    a. ¿Qué color constituye la fracción mayor?

    _____

    b. ¿Qué color forma la fracción menor?

    _____

    c. ¿Cuántos colores tienen fracciones iguales?

    _____

7. Selecciona la gráfica circular apropiada A, B o C y colorea las secciones para representar la fracción de cada color de dulces contenidos en la bolsa.

Gráficas circulares

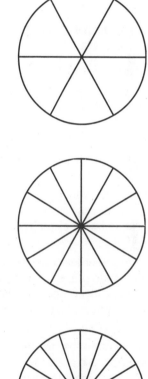

A

B

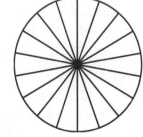

C

Resultados

Los resultados serán variables.

Porcentajes

SUGERENCIAS PARA EL MAESTRO

Guías para evaluar el progreso

Al término del quinto grado, el alumno ya debe saber:
* Escribir porcentajes en forma de fracciones y decimales, y éstos en forma de porcentajes.

Al término de sexto de primaria y primero de secundaria, el alumno ya debe saber:
* Representar porcentajes con fracciones y decimales.

En este capítulo se espera que el alumno:
* Haga conversiones entre porcentajes, decimales y fracciones.

Para presentar los conceptos matemáticos

1. Explique el nuevo término:

   porcentaje (%): tanto por ciento, proporción de una cantidad en relación con el 100.

2. Explore el nuevo término:
   * El porcentaje es una manera de comparar un número con el 100.
   * El símbolo de porcentaje o tanto por ciento: %, hace referencia a las centésimas. Así, 60% se lee como "sesenta por ciento" y significa $^{60}/_{100}$ o sesenta centésimas.
   * Es posible expresar los porcentajes como decimales escribiendo primero el porcentaje como fracción y luego dividiendo el numerador entre el denominador, que es 100. Por ejemplo 60% = $^{60}/_{100}$ = 0.6.
   * Antes se acostumbraba escribir un porcentaje como una fracción con un numerador sobre un 100. Con el tiempo, la barra de la fracción y el 100 se combinaron para convertirse en el símbolo % que se usa hoy.
   * La información que se presenta en una gráfica circular suele estar expresada en forma de porcentaje o fracción. Entre mayor sea el área utilizada en la gráfica, mayor será el porcentaje representado.
   * El círculo entero de una gráfica circular representa el 100% o la cantidad total.

* La gráfica circular con frecuencia se denomina gráfica de pastel porque cuando se divide en secciones cada una de ellas semeja una rebanada.

UN POQUITO MÁS

Puede usar bolsas de dulces de diferentes colores para estudiar el porcentaje de cada color que hay en ellas. Pida a sus alumnos que cuenten el número de dulces de cada color que hay en su bolsa y que utilicen esa cantidad y el total de dulces de la bolsa para calcular el porcentaje que hay de cada color. Si lo desea, puede tener dulces adicionales que no sean parte de la investigación para comerlos.

RESPUESTAS

Actividad 1: Conexión entre porcentajes, fracciones y decimales

1. **a.** 35%
   b. 0.2%
2. **a.** 0.68
   b. 0.72
3. **a.** 50%
   b. 50%
   c. 75%
   d. 25%

Actividad 2: Porcentaje de un número

1. **a.** 24
   b. 4.5
   c. 2.5
2. **a.** 7.5
   b. 100
   c. 225
3. **a.** 3
   b. 12
   c. 9
   d. 6

ACTIVIDAD 1

Conexión entre porcentajes, fracciones y decimales

Porcentaje (%) significa tanto por ciento. El porcentaje permite establecer la proporción de un número con respecto al 100. Una fracción es un número que se usa para expresar una parte de un todo o entero. Un decimal es un número que por medio de un punto decimal indica décimas, centésimas, milésimas, etcétera.

Para convertir un porcentaje a decimal, divide el número entre 100; para convertir un decimal en porcentaje, multiplica el número por 100. Para convertir una fracción en porcentaje, primero divide el numerador entre el denominador y luego multiplica por 100.

Ejercicios de práctica

1. Convierte 45% en decimal.

   ¡Piensa!

   • Para convertir un porcentaje en decimal, divide el número entre 100.

   $$45 \div 100 = \text{¿?}$$

   Respuesta: 0.45

2. Convierte 0.25 en porcentaje.

   ¡Piensa!

   • Para convertir un decimal en porcentaje, multiplica el número por 100.

   $$0.25 \times 100 = \text{¿?}$$

   Respuesta: 25%

3. Convierte $^1/_5$ en porcentaje.

   ¡Piensa!

   • Para convertir una fracción en porcentaje, divide primero el numerador entre el denominador.

   $$1 \div 5 = 0.20$$

   • Después multiplica por 100.

   $$0.20 \times 100 = \text{¿?}$$

   Respuesta: 20%

Ahora te toca a ti

1. Convierte estos decimales en porcentajes:

   a. 0.35 _____   **b.** 0.002 _____

2. Convierte estos porcentajes en decimales:

   a. 68% _____   **b.** 72% _____

3. Convierte estas fracciones en porcentajes:

   a. $^1/_2$ _____   **c.** $^3/_4$ _____

   b. $^2/_4$ _____   **d.** $^{25}/_{100}$ _____

6

ACTIVIDAD 2

Porcentaje de un número

Para encontrar el porcentaje de cualquier número, puedes usar uno de dos métodos:

Método 1: usa una fracción

- Expresa el porcentaje como una fracción por 100.

- Multiplica la fracción por el número.

- Divide el numerador entre el denominador.

Método 2: usa un decimal

- Expresa el porcentaje como decimal.

- Multiplica el decimal por el número.

Ejercicios de práctica

Encuentra el 12% de 20.

¡Piensa!

Método 1: usa una fracción

- Expresa el porcentaje como una fracción por 100. $12\% = {}^{12}/_{100}$.

- Multiplica la fracción por el número: ${}^{12}/_{100} \times 20 = {}^{240}/_{100}$.

- Divide el numerador entre el denominador: $240 \div 100 = $ ¿?

Respuesta: 2.4

Método 2: usa un decimal

- Expresa el porcentaje como un decimal: $12\% = {}^{12}/_{100} = 0.12$.

- Multiplica el decimal por el número: $0.12 \times 20 = $ ¿?

Respuesta: 2.4

Ahora te toca a ti

1. Aplica el método 1 para encontrar el porcentaje indicado de cada número.

    a. 60% de 40 _____

    b. 30% de 15 _____

    c. 5% de 50 _____

ACTIVIDAD 2 (continuación)

2. Aplica el método 2 para encontrar el porcentaje indicado de cada número.

  a. 15% de 50 _____

  b. 50% de 200 _____

  c. 75% de 300 _____

3. La gráfica circular de abajo muestra el porcentaje de los distintos colores de cabello en un grupo de 30 alumnos. Usa la gráfica para determinar cuántos alumnos hay con cada color de cabello.

  a. Rojo _____

  b. Café _____

  c. Rubio _____

  d. Negro _____

Razones

SUGERENCIAS PARA EL MAESTRO

Guías para evaluar el progreso

Al término del quinto grado, el alumno ya debe saber:
- Emplear razones para describir relaciones matemáticamente.

Al término del sexto grado y en primero de secundaria, el alumno ya debe saber:
- Representar razones con modelos.

En este capítulo se espera que el alumno:
- Escriba razones en tres formas diferentes.

Prepare lo siguiente

Investigación 1: De rojo a blanco.
- Prepare 1 bolsa de frijoles por cada pareja de alumnos. Coloque 10 frijoles rojos y 10 blancos en cada bolsa.

Investigación 2: Proporción de color.
- Prepare agua coloreada añadiendo 10 gotas de colorante vegetal en 1 taza (250 ml) de agua de la llave.
- Proporcione una bolsa de agua azul y otra de agua amarilla a cada pareja de alumnos. Coloque aproximadamente $1/4$ de taza (63 ml) de agua coloreada en cada bolsa resellable de un litro ($1/4$ de galón) de capacidad.

Para presentar los conceptos matemáticos

1. Explique el nuevo término:

   razón: relación entre dos cantidades con respecto al número de veces que el primero contiene al segundo.

2. Explore el nuevo término:
   - Una razón se puede expresar en tres formas diferentes: 1) con palabras, 2) con dos puntos o 3) como una fracción. Por ejemplo, al comparar el número de ojos con el número de dedos de los pies de una persona, la razón se puede expresar de la siguiente manera:

Comparación	Con palabras, usa "a"	Con dos puntos	Como fracción
Ojos a dedos de los pies	2 a 10	2:10	$2/10$

   - Por lo general, una razón se escribe como una fracción simplificada; para la comparación entre ojos y dedos de los pies, la razón sería 1 a 5, 1:5 o $1/5$.
   - Una razón no se escribe como un número mixto (aquel que contiene un entero y una fracción).
   - Cuando se escribe una razón, el orden es importante. Para la comparación entre ojos y dedos de los pies, la razón es 1 a 5, no 5 a 1.
   - Una razón puede comparar una parte con otra parte (P/P), una parte con el todo (P/T) o el todo con una parte (T/P).

UN POQUITO MÁS

Repita la investigación "Proporción de color", pero esta vez añada una bolsa de agua roja por cada equipo. Permita que los estudiantes elaboren sus propias tablas de datos de proporcionalidad. Se pueden usar razones entre dos colores y también entre tres de ellos.

De rojo a blanco

OBJETIVO

Determinar la razón entre objetos.

Materiales

1 bolsa con 10 frijoles rojos y 10 blancos
lápiz
crayón rojo

Procedimiento

1. Sin mirar, saca un puñado pequeño de frijoles de la bolsa.

2. Haz un dibujo de los frijoles en la tabla de "Datos de proporción de frijoles". Usa el crayón para colorear los frijoles rojos.

DATOS DE PROPORCIÓN DE FRIJOLES			
Dibujo			
Comparación entre frijoles	**Razón simplificada**		
	En palabras, con "a"	**Con dos puntos**	**Como fracción**
de rojo a blanco			
blanco a rojo			
rojo a todo			
blanco a todo			
todo a rojo			
todo a blanco			

3. Sigue las instrucciones y escribe en la tabla de datos la razón entre los frijoles. La palabra "rojo" se usará para todos los frijoles de este color; "blanco" para los blancos, y "todo" para el número total de frijoles que sacaste de la bolsa.

Resultados

Los resultados variarán de acuerdo con la cantidad de frijoles que hayas tomado. Por ejemplo, si tomaste 3 frijoles rojos y 4 blancos de la bolsa, la tabla se verá como sigue:

DATOS DE PROPORCIÓN DE FRIJOLES			
Comparación entre frijoles	**Razón simplificada**		
	En palabras, con "a"	**Con dos puntos**	**Como fracción**
de rojo a blanco	3 a 4	3:4	$^3/_4$
blanco a rojo	4 a 3	4:3	$^4/_3$
rojo a todo	3 a 7	3:7	$^3/_7$
blanco a todo	4 a 7	4:7	$^4/_7$
todo a rojo	7 a 3	7:3	$^7/_3$
todo a blanco	7 a 4	7:4	$^7/_4$

¿Por qué?

Una razón es la relación de tamaño que existe entre dos cantidades o números; se usa para hacer comparaciones entre dichas cantidades. Para expresarla con palabras se usa la preposición "a"; también se puede expresar poniendo dos puntos entre las cantidades comparadas, o como una fracción. Una razón compara una parte con otra parte (P/P), una parte con un todo (P/T) o el todo con la parte (T/P). En esta actividad, las partes son los frijoles rojos y blancos, y el todo es la suma de frijoles de los dos colores.

INVESTIGACIÓN 2

Proporción de color

OBJETIVO

Determinar los colores producidos en mezclas hechas con diferentes proporciones de colores.

Materiales

marcador
3 bolsas de plástico resellables tamaño
    sándwich
2 cucharitas para medir (5 ml)
2 bolsas con agua coloreada: amarilla y azul
ayudante

Procedimiento

1. Con el marcador, escribe en cada una de las bolsas de plástico vacías las letras A, B y C, respectivamente.

2. Observa la tabla "Datos de proporción de color" que aparece abajo. Escribe la razón para cada mezcla junto a la letra de la bolsa indicada.

DATOS DE PROPORCIÓN DE COLOR			
Mezcla	Razón	Combinación	Color resultante
A azul a amarillo	1:1	azul-1 cucharita amarillo-1 cucharita	
B azul a amarillo	2:1	azul-2 cucharitas amarillo-1 cucharita	
C amarillo a azul	2:1	amarillo-2 cucharitas azul-1 cucharita	

3. Prepara cada mezcla pidiendo a tu ayudante que mantenga abiertas las bolsas de

agua coloreada, una a la vez, mientras tomas una cantidad medida de ellas. Por ejemplo, la mezcla de la bolsa A será una combinación de 1 cucharita de agua azul y 1 cucharita de agua amarilla. (Usa una cuchara diferente para cada color de agua).

4. Sella la bolsa A, luego agítala con suavidad.

5. Repite los pasos 3 y 4 para preparar las mezclas B y C.

6. Sostén las tres bolsas a contraluz y compara sus colores. Escribe una descripción de los colores en las bolsas A, B y C en la columna de "Color resultante" de la tabla de datos.

Resultados

La combinación de diferentes razones (proporciones) de agua azul y amarilla produjo varios tonos de verde.

¿Por qué?

Los materiales coloreados tienen *colorantes* (sustancias químicas que dan color). Los colorantes que se disuelven en los líquidos se llaman *tintes*. Cuando dos colorantes diferentes se mezclan, se produce un tercer color. Por ejemplo, cuando mezclas agua azul con amarilla, la mezcla resultante es verde. La proporción entre las partes produce diferentes tonos de verde. Entre más amarillo tiene la mezcla, más claro es el tono de verde.

Álgebra

El **álgebra** es la rama de las matemáticas en la cual se exploran relaciones aritméticas por medio de signos y letras para representar números. El álgebra es una clave para resolver problemas. La solución de problemas es la aplicación de conceptos matemáticos en situaciones nuevas. Igual que en la aritmética, las operaciones básicas del álgebra son suma, resta, multiplicación y división. Mientras que con la aritmética sólo se pueden producir ejemplos específicos, con el álgebra es posible generalizar las relaciones matemáticas. Por ejemplo, la ecuación $3^2 = 3 \times 3$ sólo es verdadera para el número 3. Pero la ecuación algebraica $a^2 = a \times a$ es verdadera para cualquier número, y significa que el cuadrado de cualquier número es igual a dicho número multiplicado por sí mismo. En esta sección se estudiarán algunas de las herramientas básicas del álgebra —expresiones algebraicas, ecuaciones y fórmulas— y se usarán para resolver problemas relacionados con situaciones cotidianas.

Expresiones algebraicas

8

SUGERENCIAS PARA EL MAESTRO

Guías para evaluar el progreso

Al término del quinto grado, el alumno ya debe saber:
- Comprender la diferencia entre una variable y una constante.
- Evaluar expresiones.
- Usar tablas y símbolos para representar y describir relaciones.

Al término del sexto grado y en primero de secundaria, el alumno ya debe saber:
- Comprender y usar las propiedades asociativa, conmutativa y distributiva.
- Seleccionar y usar las operaciones apropiadas para resolver problemas.

En este capítulo se espera que el alumno:
- Sustituya valores por variables.
- Compare constantes y variables.
- Use el orden de las operaciones para encontrar los valores de las expresiones.

Para presentar los conceptos matemáticos

1. Explique los nuevos términos:

   cantidad: monto de cualquier cosa que puede medirse con un número.

   constante: cantidad cuyo valor no cambia.

   exponente: número que va en la parte superior derecha del número base, que indica cuántas veces se debe multiplicar este último por sí mismo.

   expresión algebraica: una combinación de constantes y variables y uno o más signos de operación.

   número base: en referencia a un exponente, es un número que se multiplica por sí mismo una cantidad de veces igual al valor del exponente.

   sustituir: reemplazar una variable con un valor conocido.

   variable: cantidad cuyo valor cambia. Con frecuencia se usan letras para representar variables.

2. Explore los nuevos términos:

   - El álgebra es la rama de las matemáticas en la cual las relaciones aritméticas se exploran por medio de signos de operación (+, −, ×, ÷) y letras para representar números.

- Una cantidad es todo aquello que puede medirse con un número.
- Una cantidad cuyo valor no cambia es una constante. Un ejemplo es el número de centímetros en un metro, el cual siempre es 100.
- Una cantidad cuyo valor cambia se llama variable. Un ejemplo es la temperatura del aire, que cambia con frecuencia.
- Las variables se representan con letras, y con frecuencia las letras usadas permiten recordar lo que representan. Por ejemplo, las letras v, d y t pueden usarse para representar velocidad, distancia y tiempo, respectivamente. Es común que las variables se escriban en cursiva para evitar confusiones.
- Las teclas de una calculadora usan variables para representar el número que aparece en la pantalla. Por ejemplo, la tecla x^2 elevará al cuadrado el número de la pantalla. Elevar al cuadrado significa multiplicar al número por sí mismo. Por ejemplo, $5^2 = 5 \times 5 = 25$.
- Una expresión combina números con una o más operaciones, como $3 + 2$, 3×4, y $4 \times 5 - 6 + 9$.
- Una expresión que contiene una variable, como $3 + n$, se llama expresión algebraica.
- Una expresión algebraica se puede evaluar reemplazando la variable con un valor conocido. Esto se conoce como sustituir la variable con un valor.
- Hay muchas maneras de indicar la multiplicación de una variable. Por ejemplo, 4 veces y puede escribirse $4 \times y$, $4 \cdot y$, $4(y)$ o $4y$.
- La multiplicación repetida del mismo número puede representarse mediante un exponente. El número base es aquel que se multiplicará. El exponente indica cuántas veces se multiplica la base por sí misma. En el número 2^3, 2 es la base y 3 el exponente. Los números que presentan exponentes pueden escribirse en tres formas:

   Notación exponencial: 2^3

   Forma ampliada: $2 \times 2 \times 2$

   Forma estándar: 8

UN POQUITO MÁS

1. ¿Qué expresiones generarían los siguientes valores?

x	?	?	?	?	?
3	18	12	9	15	30
5	20	10	25	25	18

Respuestas: $x + 15$, $15 - x$, x^2, $5x$, $90/x$

2. Un *coeficiente* es cualquier factor de una expresión o cualquier producto de factores de una expresión. Por ejemplo, la expresión $5xy$ puede escribirse indicando los diferentes coeficientes de una cantidad expresada entre paréntesis:

   a. 5 es el coeficiente de xy $5(xy)$
   b. x es el coeficiente de $5y$ $x(5y)$
   c. y es el coeficiente de $5x$ $y(5x)$
   d. xy es el coeficiente de 5 $xy(5)$
   e. $5y$ es el coeficiente de x $5y(x)$
   f. $5x$ es el coeficiente de y $5x(y)$

Sus alumnos pueden escribir de manera diferente las expresiones, como $6ab$ y $8cd$, para indicar coeficientes distintos.

RESPUESTAS

Actividad 1. Cantidades, constantes y variables

1. constante
2. variable
3. variable
4. variable
5. constante
6. variable
7. constante
8. variable
9. variable
10. constante

Actividad 2. Expresiones algebraicas

1.

x	x + 8	x(8)	$12/x$	x^2	48 – x
2	2 + 8 = 10	2(8) = 16	$12/2$ = 12 ÷ 2 = 6	2^2 = 2 × 2 = 4	48 – 2 = 46
3	3 + 8 = 11	3(8) = 24	$12/3$ = 12 ÷ 3 = 4	3^2 = 3 × 3 = 9	48 – 3 = 45
4	4 + 8 = 12	4(8) = 32	$12/4$ = 12 ÷ 4 = 3	4^2 = 4 × 4 = 16	48 – 4 = 44

2.

x	32 + x	x(4)	$30/x$	x^2	50 – x
3	32 + 3 = 35	3(4) = 12	$30/3$ = 30 ÷ 3 = 10	3^2 = 3 × 3 = 9	50 – 3 = 47
5	32 + 5 = 37	5(4) = 20	$30/5$ = 30 ÷ 5 = 6	5^2 = 5 × 5 = 25	50 – 5 = 45
10	32 + 10 = 42	10(4) = 40	$30/10$ = 30 ÷ 10 = 3	10^2 = 10 × 10 = 100	50 – 10 = 40

3.   a. $180x$, donde x es la velocidad de una tortuga gigante.
   b. $x + 61$, donde x es la velocidad máxima de un humano en kilómetros por hora.
   c. $x/2$, donde x es la velocidad de vuelo de un pato lomo blanco.
   d. $x - 21$, donde x es la velocidad de un zorro rojo en kilómetros por hora.

Cantidades, constantes y variables

Una **cantidad** es una cifra o cualquier cosa que se puede medir con un número. Si el valor de una cantidad no cambia, se trata de una **constante**, pero si cambia, entonces es una **variable**.

Ejercicios de práctica

Identifica si se trata de una variable o una constante.

a. El número de ojos de los perros.

¡Piensa!

- Los perros siempre tienen dos ojos.

- Una constante es una cantidad cuyo valor no cambia.

Respuesta: constante

b. La longitud de una recámara.

- La longitud de una recámara puede ser diferente, así que este número puede cambiar.

- Una variable es una cantidad cuyo valor cambia.

Respuesta: variable

Ahora te toca a ti

Identifica si se trata de una variable o una constante.

1. El número de patas de un insecto _____

2. El tiempo que toma correr un kilómetro _____

3. El número de páginas de un libro _____

4. El peso de un gatito _____

5. El número de centímetros en un metro _____

6. Las veces que un colibrí bate las alas en un minuto _____

7. El número de minutos que hay en una hora _____

8. El precio de un CD _____

9. La duración de una película _____

10. El número de patas de un pájaro _____

8

ACTIVIDAD 2

Expresiones algebraicas

Una **expresión algebraica** es una combinación de constantes y variables y uno o más signos de operación. Para representar las variables en una expresión algebraica se usan letras. **Sustituir** significa reemplazar una variable con un valor conocido. Un **número base** es aquel que se multiplica por sí mismo la cantidad de veces indicada por el valor del exponente. Un **exponente** es el número que está en la parte superior derecha del número base e indica las veces que la base se multiplica por sí misma.

Ejercicios de práctica

1. Evalúa la expresión para $x = 1, 2, 3$.

a. $9x$

¡Piensa!

$9x$ significa "9 veces x" o "9 por x". Para evaluar la expresión, es necesario sustituir la variable, que es x, con un valor.

Respuesta:

x	$9x$
1	$9 \times 1 = 9$
2	$9 \times 2 = 18$
3	$9 \times 3 = 27$

b. $^{18}/_x$

¡Piensa!

$^{18}/_x$ significa "18 entre x". Para evaluar la expresión, sustituye x con los valores dados.

Respuesta:

x	$^{18}/_x$
1	$^{18}/_1 = 18 \div 1 = 18$
2	$^{18}/_2 = 18 \div 2 = 9$
3	$^{18}/_3 = 18 \div 3 = 6$

c. x^2

¡Piensa!

El número x^2 significa "el número base x multiplicado por sí mismo". Para evaluar la expresión sustituye en x los valores dados.

Respuesta:

x	x^2
1	$1 \times 1 = 1$
2	$2 \times 2 = 4$
3	$3 \times 3 = 9$

ACTIVIDAD 2 (continuación)

2. Escribe el siguiente enunciado como una expresión.

Un mono puede levantar 50 veces su propio peso (*p*). ¿Cuántos kilogramos puede levantar un mono?

¡Piensa!

• "Veces" significa multiplicación.

Respuesta: 50*p*

Ahora te toca a ti

1. Completa la tabla evaluando cada expresión para *x* = 2, 3, 4.

x	x + 8	x(8)	$^{12}/_x$	x^2	48 – x
2					
3					
4					

2. Completa la tabla evaluando cada expresión para *x* = 3, 5, 10.

x	32 + x	x(4)	$^{30}/_x$	x^2	50 – x
3					
5					
10					

3. Escribe los enunciados como una expresión. Usa *x* como variable.

a. Una liebre puede correr 180 veces más rápido que una tortuga gigante. ¿Qué tan rápido corre una liebre? _____

b. Un guepardo corre 61 kilómetros por hora más rápido que el ser humano más veloz. ¿Qué tan rápido corre un guepardo? _____

c. Un avestruz puede correr a la mitad de la velocidad con la que vuela un pato lomo blanco. ¿Qué tan rápido corre un avestruz? _____

d. Una serpiente mamba se arrastra a una velocidad de 21 kilómetros por hora más lento que un zorro rojo. ¿Qué tan rápido se arrastra una serpiente mamba? _____

Ecuaciones algebraicas

SUGERENCIAS PARA EL MAESTRO

Guías para evaluar el progreso

Al término del quinto grado, el alumno ya debe saber:
- Usar ecuaciones para indicar las relaciones entre expresiones.
- Sustituir variables por valores.
- Usar operaciones inversas.

Al término del sexto grado y en primero de secundaria, el alumno ya debe saber:
- Seleccionar y usar las operaciones adecuadas para resolver problemas.

En este capítulo se espera que el alumno:
- Determine si una ecuación es verdadera o falsa.
- Resuelva ecuaciones por medio de operaciones inversas.

Para presentar los conceptos matemáticos

1. Explique los nuevos términos:

   ecuación algebraica: ecuación con una variable.

   resolver: encontrar la solución de una ecuación.

   signo de desigualdad ($\neq$): signo empleado para indicar que dos expresiones no son iguales.

   solución de una ecuación algebraica: el valor de la variable que convierte a la ecuación en verdadera.

2. Explore los nuevos términos:
   - Una ecuación con una variable es verdadera o falsa dependiendo del valor de dicha variable. Por ejemplo, si $x = 3$ se sustituye en estas ecuaciones:

     a. $x + 4 = 7$ es verdadera, porque $3 + 4 = 7$

     b. $x - 2 = 4$ es falsa, porque $3 - 2 \neq 4$
   - Las operaciones inversas se anulan entre sí. Por ejemplo, suma y resta se anulan entre sí, y multiplicación y división también lo hacen.
   - Cuando cambia uno de los lados de una ecuación, se deben hacer los mismos cambios del otro lado, de manera que la ecuación permanezca igual.
   - Para resolver una ecuación, se debe anular o deshacer lo que se hizo con la variable. Por ejemplo,

en la ecuación $x + 2 = 5$, se suman 2 a la variable. Para deshacer esta suma, reste 2 en los dos lados.

$$
\begin{aligned}
x + 2 &= 5 \qquad &\text{ecuación original} \\
x + 2 - \mathbf{2} &= 5 - \mathbf{2} \qquad &\text{reste 2 en los dos lados} \\
x + 0 &= 3 \\
x &= 3
\end{aligned}
$$

Compruebe el resultado sustituyendo el valor en la ecuación original:

$$
\begin{aligned}
x + 2 &= 5 \\
\mathbf{3} + 2 &= 5
\end{aligned}
$$

En la ecuación $x - 3 = 8$, se restan 3 a la variable. Para deshacer dicha resta, hay que sumar 3 en los dos lados.

$$
\begin{aligned}
x - 3 &= 8 \qquad &\text{ecuación original} \\
x - 3 + \mathbf{3} &= 8 + \mathbf{3} \qquad &\text{sume 3 en los dos lados} \\
x - 0 &= 11 \\
x &= 11
\end{aligned}
$$

Compruebe el resultado sustituyendo el valor en la ecuación original:

$$
\begin{aligned}
x - 3 &= 8 \\
\mathbf{11} - 3 &= 8
\end{aligned}
$$

En la ecuación $2x = 8$, la variable se multiplica por 2. Para anular la multiplicación de la variable por 2, los dos lados se dividen entre 2. Exprese la división como una fracción.

$$
\begin{aligned}
2x &= 8 \qquad &\text{ecuación original} \\
\frac{2x}{2} &= \frac{8}{2} \qquad &\text{divida los dos lados entre 2} \\
x &= 4
\end{aligned}
$$

Compruebe el resultado sustituyendo el valor en la ecuación original:

$$
\begin{aligned}
2x &= 8 \\
2 \times \mathbf{4} &= 8
\end{aligned}
$$

En la ecuación $x \div 4 = 7$, la variable se divide entre 4. Para deshacer la división de la variable entre 4, multiplique los dos lados por 4. (*Nota:* expresar $x \div 4$ como una fracción permite que sea más fácil ver cómo se cancela el múltiplo 4.)

$$
\begin{aligned}
\frac{x}{4} &= 7 \qquad &\text{ecuación original} \\
\frac{x}{4} \cdot \mathbf{4} &= 7 \cdot \mathbf{4} \qquad &\text{multiplique los dos lados por 4} \\
\frac{4x}{4} &= 28 \\
x &= 28
\end{aligned}
$$

Compruebe el resultado sustituyendo el valor en la ecuación original:

$x/_4 = 7$
$28/_4 = 7$

- La ecuación se resuelve de la misma manera, ya sea que la variable se encuentre a la derecha o a la izquierda del signo igual. Por ejemplo, encuentre el valor de x en la ecuación $30 = x + 2$.

$30 = x + 2$	ecuación original
$30 - 2 = x + 2 - 2$	reste 2 en los dos lados
$28 = x$	

o

$x = 28$

UN POQUITO MÁS

1. Los alumnos pueden resolver ecuaciones que incluyan varias operaciones, como $3x + 5 = 20$. Para resolver esta ecuación, se seguirían dos pasos:

a)
$3x + 5 = 20$	ecuación original
$3x + 5 - 5 = 20 - 5$	reste 5 en cada lado
$3x = 15$	

b)
$3x = 15$	ecuación original
$3x/_3 = 15/_3$	divida los dos lados entre 3

$x = 5$

Comprobación: $3x + 5 = 20$
$3 \cdot 5 + 5 = 20$
$15 + 5 = 20$

Ejemplos de ecuaciones

1. $4x - 5 = 15$ ($x = 5$)
2. $35 - 5x = 25$ ($x = 2$)
3. $25 + x/_6 = 55$ ($x = 180$)

RESPUESTAS

Actividad 1: Sustitución

1. falsa
2. verdadera
3. verdadera
4. falsa
5. verdadera
6. falsa
7. verdadera
8. verdadera
9. falsa
10. verdadera

Actividad 2: Solución de ecuaciones de suma y resta

1. $R = 17$
2. $F = 250$
3. $H = 118$
4. $A = 78$
5. $B = 30$
6. $P = 1,690$

Actividad 3: Solución de ecuaciones de multiplicación y división

1. $x = 100$
2. $z = 5$
3. $x = 8$
4. $b = 32$
5. $G = 8$
6. $W = 363$

9 ACTIVIDAD 1

Sustitución

Una ecuación es un enunciado que usa el signo igual (=) para indicar que dos expresiones son idénticas. El **signo de desigualdad** (≠) se usa para mostrar que dos expresiones son diferentes. Una **ecuación algebraica** es la que posee una variable, y puede ser verdadera o falsa (correcta o incorrecta) dependiendo del valor de dicha variable. El reemplazo de la variable por un valor conocido se llama sustitución.

Ejercicios de práctica

Indica si la ecuación es verdadera o falsa para el valor dado de la variable.

$18 + x = 24$, $x = 6$

¡Piensa!

- Sustituye el valor de x en la ecuación:

  $18 + 6 = 24$

- ¿$18 + 6$ es igual a 24? Sí.

- ¿La ecuación es verdadera o falsa?

Respuesta: verdadera

Ahora te toca a ti

Indica si la ecuación es verdadera o falsa para el valor dado de la variable.

1. $2 + N = 8$, $N = 5$ _____

2. $3x = 15$, $x = 5$ _____

3. $32 - x = 22$, $x = 10$ _____

4. $25 \div z = 6$, $z = 5$ _____

5. $1R = 2$, $R = 2$ _____

6. $Y/3 = 13$, $Y = 12$ _____

7. $0/P = 0$, $P = 9$ _____

8. $32B \div 2 = 32$, $B = 2$ _____

9. $S + 35 = 60$, $S = 24$ _____

10. $3 \times 3M = 18$, $M = 2$ _____

ACTIVIDAD 2

Solución de ecuaciones de suma y resta

Una ecuación algebraica se **resuelve** cuando se encuentra la respuesta correcta, que es el valor de la variable. El valor de dicha variable que hace que la ecuación sea verdadera o correcta se llama **solución de una ecuación algebraica**. Las operaciones inversas, como suma y resta, se anulan entre sí. Puedes usar operaciones inversas para resolver algunas ecuaciones de suma y resta.

Ejercicios de práctica

Resuelve la ecuación usando operaciones inversas. Comprueba el resultado.

a. $x + 6 = 10$

¡Piensa!

- Cuando cambies un lado de la ecuación, debes hacer el mismo cambio del otro lado para mantenerla igual.

- Para anular la suma de 6 a la variable, resta 6 en los dos lados de la ecuación.

$$x + 6 = 10 \qquad \text{ecuación original}$$
$$x + 6 - \mathbf{6} = 10 - \mathbf{6} \qquad \text{resta 6 en los dos lados}$$
$$x + 0 = 4$$
$$x = 4$$

Comprueba el resultado sustituyendo el valor en la ecuación original:

$$x + 6 = 10$$
$$\mathbf{4} + 6 = 10$$

Respuesta: $x = 4$

b. $x - 10 = 35$

¡Piensa!

- Para anular el 10 que se restó de la variable, suma 10 en los dos lados.

$$x - 10 = 35 \qquad \text{ecuación original}$$
$$x - 10 + \mathbf{10} = 35 + \mathbf{10} \qquad \text{suma 10 en los dos lados}$$
$$x + 0 = 45$$
$$x = 45$$

Comprueba el resultado sustituyendo el valor en la ecuación original:

$$x - 10 = 35$$
$$\mathbf{45} - 10 = 35$$

Respuesta: $x = 45$

9

ACTIVIDAD 2 (continuación)

Ahora te toca a ti

Resuelve las ecuaciones usando operaciones inversas. Comprueba el resultado.

1. $R + 75 = 92$

Comprobación: _____

Respuesta: _____

2. $230 + F = 480$

Comprobación: _____

Respuesta: _____

3. $H - 95 = 23$

Comprobación: _____

Respuesta: _____

4. $58 = A - 20$

Comprobación: _____

Respuesta: _____

5. $65 = 35 + B$

Comprobación: _____

Respuesta: _____

6. $940 = P - 750$

Comprobación: _____

Respuesta: _____

ACTIVIDAD 3

Solución de ecuaciones de multiplicación y división

Puedes usar operaciones inversas para resolver ecuaciones de multiplicación y división. Sólo recuerda que las operaciones inversas, como la multiplicación y la división, se anulan entre sí.

Ejercicios de práctica

Resuelve las ecuaciones usando operaciones inversas. Comprueba el resultado.

a. $3x = 15$

¡Piensa!

- Para anular la multiplicación de la variable por 3, divide los dos lados de la ecuación entre 3. Expresa la división en forma de una fracción.

$$3x = 15 \qquad \text{ecuación original}$$
$$\frac{3x}{3} = \frac{15}{3} \qquad \text{divide los dos lados entre 3}$$
$$x = \mathbf{5}$$

Comprueba el resultado sustituyendo el valor en la ecuación original:

$$3x = 15$$
$$3 \cdot \mathbf{5} = 15$$

Respuesta: $x = 5$

b. $x \div 5 = 6$

¡Piensa!

- Para anular la división de la variable entre 5, expresa primero $x \div 5$ como una fracción, luego multiplica los dos lados por 5.

$$\frac{x}{5} = 6 \qquad \text{ecuación original}$$
$$\frac{x}{5} \cdot 5 = 6 \cdot 5 \qquad \text{multiplica los dos lados por 5}$$
$$\frac{5x}{5} = 30$$
$$x = \mathbf{30}$$

Comprueba el resultado sustituyendo el valor en la ecuación original:

$$x \div 5 = 6$$
$$\frac{30}{5} = 6$$

Respuesta: $x = 30$

ACTIVIDAD 3 (continuación)

Ahora te toca a ti

Resuelve las ecuaciones por medio de operaciones inversas. Comprueba el resultado.

1. $x \div 5 = 20$

Comprobación: _____

Respuesta: _____

2. $6z = 30$

Comprobación: _____

Respuesta: _____

3. $72 = 9x$

Comprobación: _____

Respuesta: _____

4. $b \div 8 = 4$

Comprobación: _____

Respuesta: _____

5. $8G = 64$

Comprobación: _____

Respuesta: _____

6. $W/11 = 33$

Comprobación: _____

Respuesta: _____

SUGERENCIAS PARA EL MAESTRO

Guías para evaluar el progreso

Al término del quinto grado, el alumno ya debe saber:
- Usar fórmulas para describir las relaciones existentes entre dos conjuntos de datos relacionados.
- Sustituir variables por valores.

Al término del sexto grado y en primero de secundaria, el alumno ya debe saber:
- Seleccionar y usar las operaciones adecuadas para resolver problemas.

En este capítulo se espera que el alumno:
- Use fórmulas para indicar relaciones entre dos o más cantidades.
- Use variables para representar cantidades.

Para presentar los conceptos matemáticos

1. Explique el nuevo término:

   fórmula: regla que se representa por medio de una ecuación que indica las relaciones entre dos o más cantidades.

2. Explore el nuevo término:

   - Una fórmula contiene una o más variables. Por ejemplo, la fórmula para encontrar la velocidad de un objeto en movimiento es $v = {}^d/_t$. La fórmula se lee como "velocidad (v) igual a distancia (d) entre tiempo (t)".

   - Para encontrar el valor de una variable en una fórmula, se precisa conocer el valor de las demás variables de la misma. Sustituir es reemplazar las variables por valores. Por ejemplo, para encontrar

el valor de la velocidad en la fórmula $v = {}^d/_t$, es necesario sustituir el valor de la distancia (d) y el tiempo (t). Si se sustituye d por 20 kilómetros y t por 2 horas, entonces el valor para v sería:

$$v = {}^d/_t$$
$$v = 20 \text{ km}/2 \text{ h}$$
$$v = 10 \text{ km}/1 \text{ h}$$

UN POQUITO MÁS

Sus alumnos pueden usar la fórmula $i = {}^m/_e$ para determinar su índice de masa corporal (IMC). En la fórmula, m es la masa medida en kilogramos y e es la estatura medida en metros. Nota: si es necesario, use la fórmula $m = {}^l/_{2.2}$ para convertir libras (l) a kilogramos y $e = 0.025x$ para convertir pulgadas (x) en metros.

RESPUESTAS

Actividad: Fórmulas

1. 3 s

2. **a.** 50 km/s
   b. 125 km/h

3. **a.** 3.5 gal
   b. 80 tazas

4. **a.** 230 mi/h
   b. 125 km/h

5. 12 pulg

10 ACTIVIDAD

Fórmulas

Una **fórmula** es una regla que se representa por medio de una ecuación que muestra las relaciones entre dos o más cantidades o variables. Para encontrar el valor de una de las variables de una fórmula es necesario conocer el valor de todas las demás. Sustituir es reemplazar las variables por valores.

Ejercicios de práctica

1. La fórmula $p = {}^x/_{12}$ se usa para convertir pulgadas (x) en pies (p). Determina cuántos pies son iguales a 36 pulgadas.

   ¡Piensa!

   • Sustituye el valor de x en la fórmula:

$p = {}^x/_{12}$	fórmula original
$p = {}^{36}/_{12}$	sustituye x por 36
$p = 3$	

   Respuesta: 3 pies

2. La fórmula de la velocidad es $v = {}^d/_t$. Sustituye los valores dados en la fórmula y calcula la distancia.

   Un trueno se escucha 3 segundos (t) después de que se ve un rayo. Si el sonido viaja en el aire a una velocidad cercana a 320 metros por segundo (v), ¿qué tan lejos (d) cayó el rayo?

   ¡Piensa!

   • La fórmula para la velocidad es $v = {}^d/_t$. Para encontrar el valor de d en la fórmula, es necesario aislar esta variable. Dado que d se divide entre t, para anular la división de la variable entre el tiempo, multiplica las expresiones en los dos lados del signo igual por t.

$v = {}^d/_t$	fórmula original
$v \times t = {}^d/_t \times t$	multiplica los dos lados por t
$v \times t = d$	

   • Sustituye los valores de v y t y calcula d.

   $$v \times t = d$$
   320 metros/s $\times$ 3 s = 960 metros

   Respuesta: 960 metros

ACTIVIDAD (continuación)

Ahora te toca a ti

1. La fórmula para la velocidad es $v = {}^d/_t$. Sustituye en la fórmula los valores dados y calcula la distancia. El sonido viaja a través del acero a una velocidad de 5000 metros por segundo. ¿Cuánto tiempo tardará en escucharse el sonido de un tren que viaja sobre rieles de acero, si dicho tren se encuentra a una distancia de 15,000 m?

Respuesta: _____

2. La fórmula para la velocidad es $v = {}^d/_t$. Sustituye en la fórmula los valores para d y t y luego úsala para encontrar v.

   a. $d = 150$ km, $t = 3$ s

   $v =$ _____

   b. $d = 250$ km, $t = 2$ h

   $v =$ _____

3. Usa la fórmula $g = {}^t/_{16}$ para convertir tazas (t) en galones (g).

   a. ¿A cuántos galones equivalen 56 tazas?

   Respuesta: _____

   b. ¿A cuántas tazas equivalen 5 galones?

   Respuesta: _____

4. La fórmula $t = a - v$ se usa para determinar la velocidad en tierra de un aeroplano. Sustituye los valores de a (velocidad en el aire de la nave) y v (velocidad frente al viento) en la fórmula. Luego, emplea dicha fórmula para encontrar t (velocidad en tierra de la nave).

   a. $a = 350$ mi/h; $v = 120$ mi/h

   $t =$ _____

   b. $a = 150$ km/h; $v = 25$ km/h

   $t =$ _____

5. La fórmula $p = {}^c/_{2.5}$ puede usarse para convertir centímetros (c) en pulgadas (p). ¿A cuántas pulgadas equivalen 30 cm?

   Respuesta: _____

Saltadores

OBJETIVO

Usar una fórmula para determinar cuántas veces cabe tu estatura en la distancia que puedes saltar y qué distancia brincarías si fueras un animal.

Materiales

regla de madera de un metro o cinta métrica
tijeras
cordel
lápiz
ayudante

Procedimiento

1. Mide y corta dos piezas de cordel de 0.6 m (2 pies).
2. Coloca las piezas de cordel sobre el suelo en un área abierta de manera que estén separados por 3.6 m (12 pies). Una de éstas será la línea de salida y la otra la línea de salto.
3. Párate sobre la línea de salida y corre hacia la de salto. Cuando llegues a esta última, salta hacia adelante lo más lejos que puedas.
4. Pide a tu ayudante que coloque el lápiz sobre el piso justo en el sitio en el que aterrizaste.
5. Escribe tu nombre en la tabla "Datos de los saltos".
6. Con la regla de madera, mide desde la línea de salto hasta el punto de tu aterrizaje señalado con el lápiz. Anota esta distancia de salto (*d*) en la tabla (*Nota*: utiliza centímetros (cm) para las mediciones con el Sistema Internacional, y pulgadas (pulg) para las mediciones con el sistema inglés).
7. Mide tu estatura con las mismas unidades que usaste en el paso 6. Registra este dato como longitud del cuerpo (*L*) en la tabla.
8. Utiliza la fórmula $v = {}^{d}/_{L}$ para calcular cuántas "veces" puedes brincar la longitud de tu cuerpo (*v*). Registra este dato en la tabla.

DATOS DE LOS SALTOS			
Nombre	Distancia de salto, d	Largo del cuerpo, L (Estatura)	Veces el largo del cuerpo, $v = {}^{d}/_{L}$

9. Como puedes apreciar en la tabla que se muestra en seguida, algunos animales pueden saltar muchas veces el largo de su cuerpo. Utiliza la fórmula $d = v \times L$, donde *L* es el largo de tu cuerpo (tu estatura) expresado en centímetros o pulgadas para determinar qué tan lejos podrías brincar si fueras tan buen saltador como los animales de la tabla.

Animal	Veces el largo del cuerpo, v	Largo del cuerpo, L (Estatura)	Distancia del salto, $d = v \times L$
Canguro gris	8		
Rana goliat	20		
Rata canguro	48		
Pulga	200		

Resultados

Usaste una fórmula para determinar cuántas veces puedes saltar el largo de tu cuerpo y qué tan lejos brincarías si fueras tan buen saltador como algunos animales.

¿Por qué?

Con la fórmula: $v = d/L$, sustituiste los valores de *d* (distancia que brincaste) y *L* (largo de tu cuerpo) para encontrar *v* (veces que puedes saltar el largo de tu cuerpo). Con la fórmula $d = v \times L$, sustituiste los valores de *v* (veces que un animal específico puede brincar el largo de su cuerpo) y *L* (largo de tu cuerpo) para encontrar *d* (distancia que recorrerías si saltaras tanto como ese animal). Descubriste qué tan lejos podrías brincar si fueras un canguro gris, una rana goliat, una rata canguro y una pulga.

Mediciones

Medidas y mediciones son términos que se usan para describir el proceso de encontrar la cantidad de algo, como su tamaño, volumen, longitud, masa, peso y temperatura. El uso de instrumentos de medición —como son una regla, báscula o termómetro— es una de las habilidades matemáticas más importantes, y la mejor manera para desarrollarla es la práctica.

El **sistema inglés** se basa en unidades de medida como el pie, libra, pinta y segundo. El **sistema métrico** es decimal y se basa en unidades de medida como el metro (*m*), gramo (*g*), litro (*l*) y segundo. En este libro se usan los dos sistemas. El término *sistema métrico* se emplea en lugar del término *Sistema Internacional*, que denota al método aceptado internacionalmente para usar el sistema métrico de medidas. Es necesario que los alumnos sepan cómo convertir las diferentes unidades dentro de cada sistema lo mismo que de un sistema a otro.

Conversiones

SUGERENCIAS PARA EL MAESTRO

Guías para evaluar el progreso

Al término del quinto grado, el alumno ya debe saber:
- Describir relaciones numéricas entre las unidades de medida dentro del mismo sistema de medición; por ejemplo, 1 centímetro es igual a 10 milímetros.
- Describir las relaciones numéricas entre las unidades de medida de dos sistemas de medición diferentes; por ejemplo, 1 libra es igual a 454 gramos.

Al término del sexto grado y en primero de secundaria, el alumno ya debe saber:
- Convertir medidas dentro del mismo sistema de medición y entre diferentes sistemas de medición con base en las relaciones entre unidades.

En este capítulo se espera que el alumno:
- Use factores de conversión para convertir los números de una unidad métrica a una unidad inglesa.
- Utilice factores de conversión para convertir números de una unidad métrica a otra.
- Utilice una línea de unidades métricas para convertir números de una unidad métrica a otra.

Para presentar los conceptos matemáticos

1. Explique los nuevos términos:

   conversión métrica: cambio de una unidad métrica a otra.

   factor de conversión: una fracción igual a 1, cuyo numerador y denominador representan la misma cantidad pero usan diferentes unidades.

   gramo (g): unidad métrica básica para medir masa.

   litro (l): unidad métrica básica para medir volumen.

   longitud: distancia de un punto a otro.

   masa: cantidad de material en una sustancia.

   medir: proceso para determinar la cantidad de algo.

   metro (m): unidad métrica básica para medir la longitud.

   pie (ft): unidad inglesa para medir una distancia que es igual a 12 pulgadas y a 0.3 metros.

   unidad: cantidad utilizada como estándar de medición.

   volumen: cantidad de espacio que ocupa un objeto o que está encerrada por el objeto; cantidad que puede contener un recipiente.

2. Explore los nuevos términos:
   - El sistema métrico es un sistema de medición decimal.
   - Metro, m (longitud); litro, l (volumen); y gramo, g (masa) son las unidades básicas (cantidades empleadas como estándar de medición) del sistema métrico.
   - Los cuatro prefijos métricos de uso común son kilo, centi, deci y mili. Es importante que los alumnos se familiaricen con ellos y con la relación que guardan respecto de la unidad básica.
   - La conversión métrica es el cambio de una unidad métrica a otra. Cambiar la unidad no modifica el valor de la medición. Por ejemplo, 1 metro es la misma distancia que 100 centímetros.
   - Cuando se multiplica una cantidad por un factor de conversión, sólo cambian sus unidades, no su valor.
   - Cuando convierta una unidad, elija un factor de conversión cuyo denominador sea el mismo que la unidad que se cambiará. Por ejemplo, para convertir 5 minutos a segundos, el factor de conversión sería 60 segundos/1 minuto. El cálculo sería: 5 minutos × 60 segundos/1 minuto = 300 segundos. Cuando se multiplica y se divide por la misma unidad, como los minutos en este problema, la unidad se cancela, dejando sólo los segundos.
   - Otra forma de hacer conversiones métricas es usar la "Línea de prefijos métricos", tal como se muestra en la actividad 1: "Conversiones métricas".

UN POQUITO MÁS

Los alumnos pueden emplear múltiples factores de conversión, por ejemplo:

Usa tres factores de conversión para determinar el número de minutos en 2 años.

2 años x 365 días/1 año = 730 días

730 días x 24 h/1 día = 17,520 h

17,520 h x 60 min/1 hora = ?

Respuesta: 1,051,200 min

Problemas muestra

1. Use la edad del último cumpleaños y cuatro factores de conversión para determinar el número de segundos vividos desde su nacimiento.
edad x 365 días/1 año × 24 h/día × 60 min/1 h × 60 s/1 min = ?

2. Use cuatro factores de conversión para convertir 3 pies en milímetros.

3 ft x 12 pulg/1 ft × 2.5 cm/1 pulg × 1 m/100 cm × 1000 mm/1 m = ?
3 × 12 × 2.5 × 1,000/100 = 900 mm

RESPUESTAS

Actividad 1: Conversiones métricas

1. 235 mm

2. 23.5 kg

3. 2.599 l

4. 0.0000076 km

5. 0.145 km

6. 560 ml

7. 3.45987 hg (hectogramo)

8. 0.0372 kg

9. 0.04 dl (decilitro)

10. 0.987 dag (decagramo)

Actividad 2: Factores de conversión

1. 1 yd/3 ft, 3 ft/1 yd

2. 1 pulg/2.5 cm, 2.5 cm/1 pulg

3. 1 min/60 s, 60 s/1 min

4. 1 h/60 min, 60 min/1 h

5. 1 año/365 días, 365 días/1 año

6. 300 cm

7. 192 h

8. 2 h

9. 2 m

10. 10 pulg

ACTIVIDAD 1

Conversiones métricas

Medir es el proceso de encontrar la cantidad de algo, como la **longitud** (la distancia de un punto a otro), la **masa** (la cantidad de material en una sustancia) y el **volumen** (la cantidad de espacio que ocupa un objeto o que está encerrada en dicho objeto). El **sistema métrico** es un sistema decimal de medidas. **Metro (m)** (longitud), **litro (l)** (volumen) y **gramo (g)** (masa) son las **unidades** básicas (cantidades empleadas como estándares de medición) del sistema métrico. Una **conversión métrica** es el cambio de una unidad métrica a otra. Cambiar la unidad no modifica el valor de la medición. Una manera de hacer conversiones métricas es usar la "Línea de prefijos métricos".

Ejercicios de práctica

Usa la "Línea de prefijos métricos" para hacer las siguientes conversiones:

1. 8 dm = _____ mm

2. 45,000 cg = _____ hg

1. ¡Piensa!

Línea de prefijos métricos

kilo (k)	hecto (h)	deca (da)	unidad básica	deci (d)	centi (c)	mili (m)

- ¿Cuál es el prefijo inicial? (deci, d)

- ¿Cuál es el prefijo final, el cual es el de la respuesta? (mili, m)

- Sobre la "Línea de prefijos métricos", cuenta el número de lugares y observa la dirección desde el prefijo inicial al final. ¿Cuántos lugares hay desde deci hasta mili, y en qué dirección? (Dos lugares hacia la derecha).

- Mueve el punto decimal del número inicial la misma cantidad de lugares determinada en el paso anterior y en la misma dirección. ¿Cuál es el nuevo número si el punto decimal para 8 dm (8 decímetros) se mueve dos lugares hacia la derecha?

$$8.00 = 800$$

Respuesta: 8 dm = 800 mm

ACTIVIDAD 1 (continuación)

2. ¡Piensa!

- ¿Cuántos lugares hay de centi a hecto, y en qué dirección? (Cuatro lugares hacia la izquierda.)
- ¿Cuál es el nuevo número si el punto decimal para 45,000 cg se mueve cuatro lugares hacia la izquierda?

Respuesta: 45,000 cg = 4.5 hg

Ahora te toca a ti

Usa la "Línea de prefijos métricos" para hacer las siguientes conversiones.

1. 23.5 cm = _____ mm

2. 23,500 g = _____ kg

3. 2,599 ml = _____ l

4. 0.76 cm = _____ km

5. 1.45 hm = _____ km

6. 0.56 l = _____ ml

7. 345,987 mg = _____ hg

8. 0.372 hg = _____ kg

9. 0.4 cl = _____ dl

10. 98.7 dg = _____ dag

ACTIVIDAD 2

Factores de conversión

Un **factor de conversión** es una fracción igual a 1, cuyo numerador y denominador representan la misma cantidad pero usan diferentes unidades. Por ejemplo, un **pie** es una unidad de medida inglesa equivalente a una distancia de 12 pulgadas o 0.3 metros. Así, al multiplicar una cantidad por un factor de conversión sólo cambia sus unidades, no su valor.

Ejercicios de práctica

Usa un factor de conversión para transformar cada cantidad en las unidades dadas.

1. 3 pies a pulgadas

   ¡Piensa!

   - 1 ft = 12 pulg
   - Un factor de conversión es una fracción igual a 1 pulg en la cual el numerador es igual al denominador (1 pie es la misma cantidad que 12 pulgadas). Dos factores de conversión que incluyen el par de unidades pies y pulgadas son 1 ft/12 pulg y 12 pulg/1 ft.
   - Para convertir una unidad, elige un factor de conversión cuyo denominador sea igual a la unidad que cambiarás. El factor de conversión para transformar pies en pulgadas es 12 pulg/1 ft.
   - Comienza con la unidad a convertir, luego multiplica por el factor de conversión:

     3 ft $\times$ 12 pulg/1 ft = ?

   - Cuando divides y multiplicas por la misma unidad, esta última se cancela. Así que el problema se convierte en:

     3 $\times$ 12 pulg = ?

   Respuesta: 36 pulg

2. 24 pulgadas a pies

   ¡Piensa!

   - Para cambiar pulgadas a pies, usa el factor de conversión con pulgadas en el denominador, 1 ft/12 pulg
   - Comienza con la cantidad del problema, luego multiplica por el factor de conversión:

     24 pulg $\times$ 1 ft/12 pulg = ?

     24 $\times$ $^1/_{12}$ ft = ?

   Respuesta: 2 ft

3. 2 pies a metros

   ¡Piensa!

   - Usa el factor de conversión, 0.3 m/1 ft
   - 2 ft $\times$ 0.3 m/1 ft = ?

     2 $\times$ 0.3 m = ?

   Respuesta: 0.6 m

Ahora te toca a ti

Usa la tabla de "Datos para comparar unidades" y escribe dos factores de conversión para cada par de unidades.

1. yarda, pies _____

2. pulgadas, centímetros _____

3. minutos, segundos _____

4. horas, minutos _____

5. años, días _____

DATOS PARA COMPARAR UNIDADES	
1 pie, ft	12 pulgadas, pulg
1 yarda, yd	3 pies, ft
1 pulgada	2.54 centímetros, cm
1 minuto, min	60 segundos, s
1 hora, h	60 minutos, min
1 día	24 horas, h
1 semana, sem	7 días
1 año	365 días

Convierte cada cantidad a las unidades dadas usando factores de conversión.

6. 3 metros a centímetros _____

7. 8 días a horas _____

8. 120 minutos a horas _____

9. 2,000 milímetros a metros _____

10. 25 centímetros a pulgadas _____

Peso y masa

SUGERENCIAS PARA EL MAESTRO

Guías para evaluar el progreso

Al término del quinto grado, el alumno ya debe saber:
- Estimar y medir el peso por medio de unidades de onzas, libras y toneladas.
- Calcular la masa por medio de unidades de miligramos, gramos y kilogramos.

Al término del sexto grado y en primero de secundaria, el alumno ya debe saber:
- Convertir medidas dentro del mismo sistema de medición.

En este capítulo se espera que el alumno:
- Calcule medidas de peso y masa.
- Determine la manera en que el peso de una masa específica sería diferente en otros planetas debido a los cambios de gravedad.

Prepare lo siguiente

Investigación: Más o menos.
- Una báscula de baño.

Para presentar los conceptos matemáticos

1. Explique los nuevos términos:

   fuerza: acción de atracción o repulsión sobre la materia.

   gravedad: la fuerza de atracción entre todos los objetos del universo; la fuerza que jala las cosas sobre o cerca de la superficie de la Tierra hacia el centro de ésta.

   libra (lb): unidad inglesa de peso equivalente a 16 onzas.

   newton (n): unidad de peso del S.I.; 4.5 newtons equivalen a 1 libra. Diez newtons equivalen a un kilogramo.

   onza (oz): unidad inglesa de peso igual a $1/16$ de libra.

   peso: medida de la fuerza de gravedad que jala a un objeto al centro de la Tierra.

   tonelada (T): unidad inglesa de peso equivalente a 2000 libras. (*Nota:* no confundir con la tonelada métrica, que equivale a 1000 kg o 2204 lb).

2. Explore los nuevos términos:

   - Una manzana cae de un árbol y golpea el piso porque la gravedad de la Tierra la atrae hacia el centro del planeta.

   - Cuando una persona se para sobre una báscula de baño, ésta mide la gravedad que lo jala hacia el centro de la Tierra. En otras palabras, la báscula mide su peso.

   - A menudo, la masa se compara con el peso, pero éste cambia dependiendo de la cantidad de gravedad que actúe sobre un cuerpo; la masa no cambia.

   - El peso depende de la masa, que es la cantidad de materia que se mide. A medida que aumenta la cantidad de materia (masa), se incrementa el peso.

   - Use la fórmula $n = lb \times 4.5$ para convertir libras (lb) en newtons (n).

   - En la Tierra, debido a la fuerza de gravedad de ésta, 1 kg (1000 g) de masa pesa 2.2 lb. Un astronauta con una masa corporal de 90 kg pesaría 198 lb en la Tierra. En la Luna, la masa de esta misma persona no cambiaría, pero su peso sería de sólo 15 kg o 33 lb. Esto se debe a que la gravedad de la Luna es de casi $1/6$ en comparación con la de la Tierra.

   - Con una báscula de baño se puede determinar el peso de una persona. Cualquier cambio en el peso de la persona indica ganancia o pérdida de materia y, por tanto, ganancia o pérdida de masa. Por ejemplo, si el peso de una persona cambia de 30 kg (66 lb) a 35 kg (77 lb), hay una ganancia de 5 kg de materia, o sea un aumento de 11 lb (5 kg $\times$ 2.2 lb/kg = 11 lb).

UN POQUITO MÁS

Puede usar la notación científica para comparar masas.

1. Notaciones científicas positivas:

   La caja A tiene una masa de 4×10^7 g y la caja B una de 5×10^4 g. ¿Cuál caja tiene más masa?

A. **Veamos**

   - Determinar el número para cada masa.
   - Dado que las notaciones científicas son positivas, agregue a la derecha de cada número un total de ceros equivalente a la magnitud de la potencia de 10 para la cantidad.

     masa de la caja A = 4 por 10^7 g = 40,000,000 g

     masa de la caja B = 5 por 10^4 g = 50,000 g

Respuesta: la caja A tiene mayor masa que la B.

B. **Veamos**

• Dado que los dos exponentes son positivos, otra forma de comparar las masas es observando el tamaño de los exponentes. Entre mayor sea el exponente positivo, mayor será el número: 4×10^7 tiene un exponente mayor que 5×10^4.

Respuesta: la caja A tiene mayor masa que la B.

2. Notaciones científicas negativas:

Un clip para papel pesa 2.2×10^{-3} lb, y un pedazo de papel pesa 4×10^{-5} lb. ¿Cuál pesa menos?

A. **Veamos**

• Escriba la cantidad para cada peso.

• Dado que las notaciones científicas son negativas, mover el punto decimal hacia la izquierda de cada número un total de espacios equivalente a la magnitud de la potencia de 10.

peso del clip para papel = 2.2×10^{-3} lb = 0.0022 lb

peso del papel = 4×10^{-5} lb = 0.00004 lb

Respuesta: el pedazo de papel pesa menos que el clip.

B. **Veamos**

• Dado que los dos exponentes son negativos, otra forma de comparar los pesos es hacer lo mismo con los exponentes. Entre mayor sea el exponente negativo, menor será la cantidad: 4×10^{-5} tiene un exponente negativo mayor que 2.2×10^{-3}.

Respuesta: el pedazo de papel pesa menos que el clip.

RESPUESTAS

Actividad 1: Peso

1. C

2. A

3. A

4. **a.** $1/2$ oz

   b. $1^1/2$ T

5. **a.** 1 lb

   b. 9 n

Actividad 2: Masa

1. sal

2. Tomás

3. **a.** kg

   b. g

   c. g

ACTIVIDAD 1

Peso

Una **fuerza** es una acción de atracción o repulsión sobre la materia. La **gravedad** es la fuerza de atracción entre los objetos del universo; es la fuerza que mantiene las cosas sobre la superficie de la Tierra o cerca de ésta, al atraerlas hacia el centro del planeta. En la Tierra, el **peso** es la medida de la fuerza con la cual la gravedad jala un objeto. El peso depende de la masa de dicho objeto, y ésta es la cantidad de materia que lo constituye. A medida que aumenta la cantidad de materia, aumenta el peso. Las unidades comunes de peso en el sistema inglés son **toneladas (T)**, **libras (lb)** y **onzas (oz)**. En el sistema métrico, una unidad común es el **newton (n)**.

Ejercicios de práctica

EQUIVALENCIAS DE PESO	
Unidad de peso	Unidad de peso equivalente
tonelada (T)	2000 lb
libra (lb)	16 oz, 4.5 n

1. ¿Qué unidad de peso —onza, libra o tonelada— sería razonable utilizar para cada una de las figuras A, B y C?

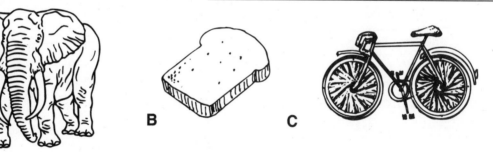

¡Piensa!

- Ordena las unidades de peso de menor a mayor: onza, libra, tonelada.
- Ordena los objetos comenzando por el de menor al de mayor peso: rebanada de pan, bicicleta, elefante.

Respuestas: A, tonelada; B, onza; C, libra.

2. ¿Cuál de las dos medidas representa mejor el peso aproximado de un hipopótamo: 3 lb o 3 T?

¡Piensa!

- Una hogaza de pan pesa cerca de 1 lb. Tres hogazas de pan pesarían cerca de 3 lb.
- Un hipopótamo pesa mucho más que tres hogazas de pan, así que no puede pesar 3 lb.

Respuesta: 3 toneladas.

3. ¿Cuál de las dos medidas representa mejor el peso aproximado de un bebé: 10 lb o 10 oz?

¡Piensa!

- Una rebanada de pan pesa cerca de 1 oz. Una hogaza de pan pesa cerca de 1 lb.
- Un bebé pesa más que 10 rebanadas de pan, pero podría pesar tanto como 10 hogazas de pan.

Respuesta: 10 lb.

Ahora te toca a ti

1. Encierra en un círculo la figura que con mayor probabilidad pueda pesar 2 lb.

A   B   C

2. Encierra en un círculo la caja más pesada, A o B.

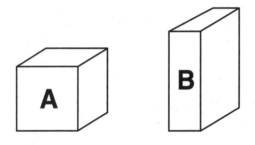

3. Encierra en un círculo el animal que pesa menos, A o B.

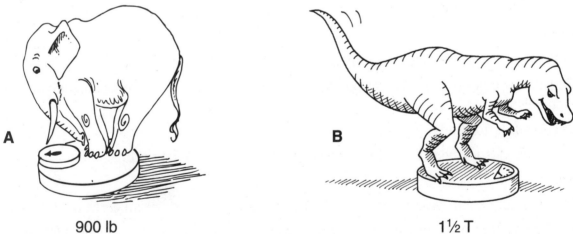

A   B

900 lb   1½ T

4. Encierra en un círculo la medida que se aproxima más al peso de cada objeto.

    a. Pluma de ave   **b.** Auto

        $1/2$ oz o $1/2$ lb $1^1/_2$ lb o $1^1/_2$ T

5. Encierra en un círculo el peso mayor.

    a. 1 n o 1 lb   **b.** 9 n o 16 oz

ACTIVIDAD 2

Masa

Masa es la cantidad de materia que constituye a un objeto. Por lo general se mide en unidades métricas. El gramo (g) es la unidad métrica básica para calcular la masa.

1. ¿Cuál de las bolsas, A, B o C, tiene mayores probabilidades de equilibrar al niño del sube y baja?

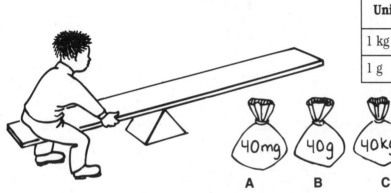

EQUIVALENCIAS DE MASA	
Unidad de masa	Unidad de masa equivalente
1 kg	1,000 g
1 g	1,000 mg

¡Piensa!

- Ordena las masas de la más grande a la más pequeña: 40 kg, 40 g, 40 mg.

- 40 mg es la masa de casi 4 pulgas y 40 g es la masa de casi 40 clips para papel.

- Un kg es un poco más de 2 lb, así que 40 kg es algo más que 80 lb.

- La masa de un niño es mayor que la de 4 pulgas o 40 clips para papel, pero podría aproximarse a 80 lb, así que la bolsa con una masa de 40 kg sería la más adecuada para equilibrar al niño.

Respuesta: la bolsa C equilibraría al niño.

2. Si una moneda pequeña tiene una masa de 3 g y la masa de un perro es de 3 kg, ¿qué unidad de masa, gramo (g) o kilogramo (kg), sería razonable usar para determinar la masa de cada objeto de la lista?

a. uva **b**. naranja **c**. gato **d**. pelota de tenis

¡Piensa!

- La uva, la naranja y la pelota de tenis estarían más cerca de la masa de la moneda pequeña que de la masa del perro; de modo que su masa se mediría en gramos.

- El gato estaría más cerca de la masa del perro que de la masa de la moneda pequeña; de modo que se mediría en kilogramos.

Respuestas: a. gramo, b. gramo, c. kilogramo, d. gramo.

Ahora te toca a ti

1. Encierra en un círculo la figura que tiene más masa.

737 g   **½ kg**

2. Encierra en un círculo el nombre del que esté levantando una masa mayor, Tomás o Dino.

Tomás   Dino

3. Si una uva posee una masa aproximada de 1 g y un litro ($^1/_4$ de galón) de agua posee una masa cercana a 1 kg, ¿qué unidad de masa, gramo (g) o kilogramo (kg), sería razonable usar para cada objeto?

a. mesa _____   **b.** moneda _____   **c.** galleta _____

Más o menos

OBJETIVO

Determinar tu peso en newtons en los diferentes planetas.

Materiales

báscula de baño
calculadora
lápiz

Procedimiento

A. Determina cuál sería tu peso en los diferentes planetas.

1. Emplea una báscula de baño para establecer cuál es tu peso en la Tierra.

2. Para saber cuál sería tu peso en cualquier planeta, multiplica tu peso en la Tierra por el "coeficiente de gravedad" (CG) de cada uno de los planetas en la tabla Datos de peso. Por ejemplo, si pesas 40 kilogramos en la Tierra, tu peso en Marte, que tiene un múltiplo de gravedad de 0.38, sería: 40 kilogramos × 0.38 = 15.2 kilogramos. Si empleas libras, tu operación sería: 89 libras × 0.38 = 33.8 libras.

3. Anota los pesos en kilogramos o libras para todos los planetas en la tabla Datos de peso.

B. Determina tu peso en newtons.

1. El newton (n) es una unidad de peso del SI. Para calcular tu peso en newtons, multiplica tu peso en kilogramos por 10. Cada kilogramo equivale a 10 n. Así, si pesas 40 kilos, tu peso en newtons sería:

40 kilos × 10 = 400 n

Si prefieres usar libras, multiplica tu peso en libras por 4.5. Cada libra equivale a 4.5 n. De modo que si pesas 89 libras, tu peso en newtons sería:

89 × 4.5 = 400 n

2. Anota los pesos en newtons en la tabla Datos de peso.

Resultados

El peso de una persona será diferente en cada planeta, siendo el más bajo en Plutón y el más alto en Júpiter.

¿Por qué?

Tu peso en cada planeta es una medida de la gravedad en ese planeta, que es la fuerza (acción de atracción o repulsión sobre la materia) que jala las cosas que están sobre o cerca de un planeta hacia su centro. El coeficiente de gravedad (CG) de los planetas es la gravedad de su superficie comparada con la de la Tierra, que es igual a 1. Entre más grande es la masa del planeta, mayor es su gravedad. Júpiter, que tiene el mayor CG, es el de mayor masa. Plutón, el de menor CG, es el de menor masa.

DATOS DE PESO			
Planeta	**Coeficiente de gravedad (CG)**	**Kilogramos (kg)**	**Newtons (n)**
Mercurio	0.38		
Venus	0.90		
Tierra	1.00	40	400
Marte	0.38		
Júpiter	2.54		
Saturno	1.16		
Urano	0.92		
Neptuno	1.19		
Plutón	0.06		

Temperatura

SUGERENCIAS PARA EL MAESTRO

Guías para evaluar el progreso

Al término del quinto grado, el alumno ya debe saber:
- Realizar mediciones para resolver problemas de temperatura.
- Explicar y registrar observaciones por medio de ilustraciones y objetos.

Al término del sexto grado y en primero de secundaria, el alumno debe saber:
- Seleccionar y usar los instrumentos y fórmulas adecuados para medir y resolver problemas de temperatura.
- Identificar y aplicar las matemáticas en problemas cotidianos.

En este capítulo se espera que el alumno:
- Lea un termómetro Celsius o Fahrenheit.
- Haga y use modelos de un termómetro Celsius o Fahrenheit.

Para presentar los conceptos matemáticos

1. Explique los nuevos términos:

   escala Celsius: escala métrica de temperatura en la cual el punto de congelación del agua es 0° y el de ebullición es 100°.

   escala Fahrenheit: escala de temperatura del sistema inglés en la que el punto de congelación del agua es de 32° y el de ebullición es de 212°.

   grado (°): unidad para medir la temperatura.

   grado Celsius (°C): unidad métrica para medir la temperatura.

   grado Fahrenheit (°F): unidad del sistema inglés para medir la temperatura.

   temperatura: propiedad física que determina la dirección en la que el calor fluye entre las sustancias.

   termómetro: instrumento que se usa para medir la temperatura en forma numérica.

2. Explore los nuevos términos:
   - En 1593, Galileo Galilei (1564-1642) diseñó el primer termómetro primitivo y lo llamó "termoscopio". Éste carecía de escala, sólo podía hacer medidas cualitativas como caliente, tibio, fresco o frío. El termoscopio y los termómetros modernos que usan líquidos se basan en el hecho de que los fluidos (gases y líquidos) se expanden al calentarse y se contraen al enfriarse.
   - Daniel Gabriel Fahrenheit (1686-1736), un científico alemán, creó el termómetro de alcohol en 1709 y el de mercurio en 1714. En 1724, introdujo la escala de temperatura que hoy se conoce como escala Fahrenheit.
   - La unidad llamada grado se usa para medir la temperatura. Por ejemplo, 10 °F se lee "diez grados Fahrenheit".
   - El astrónomo sueco Anders Celsius (1701-1744) diseñó la escala del termómetro Celsius, la cual en un principio tenía la medida de 0° como el punto de ebullición del agua y la de 100° como el de congelación. Muy pronto, la escala se invirtió de manera que 0° fuera el punto de congelación del agua y 100° el de ebullición, que son los valores que hoy se usan.
   - Hubo un tiempo en que el mercurio era el líquido que principalmente se usaba en los termómetros modernos. Dado que los termómetros se rompen y el mercurio es tóxico (venenoso), se comenzó a usar otros líquidos, como alcohol y tinturas. En fecha más reciente, dado que el alcohol es inflamable, se utiliza una mezcla menos peligrosa de líquidos como aceites vegetales y colorantes.
   - Por lo general, la escala Fahrenheit tiene cinco divisiones entre cada número marcado. Cada división equivale a 2°.
   - En tanto, la escala Celsius tiene, por lo común, diez divisiones entre cada número impreso, y cada una equivale a 1°.
   - La temperatura corporal es de alrededor de 98.6 °F o 37 °C.
   - La temperatura ambiente es de alrededor de 75 °F o 24 °C.

UN POQUITO MÁS

1. Aliente a sus alumnos a trabajar en forma independiente con los modelos de termómetro. Observe su progreso individual para cerciorarse de que pueden identificar los números en los modelos y comprender el valor de cada división de la escala. Escriba en el pizarrón más temperaturas que se puedan identificar en los

modelos. Estos últimos se pueden usar para evaluar el conocimiento adquirido por el alumno. Para ello, deberá proporcionarle una serie de temperaturas que habrá de identificar en los modelos. Obsérvelo mientras mueve la tira para colocarla en una marca o entre dos de ellas para señalar una temperatura dada.

2. Para hacer conversiones de grados Celsius a Fahrenheit o viceversa, el alumno puede usar las siguientes fórmulas.

Celsius a Fahrenheit:

°F = (1.8 × °C) + 32

Ejemplo: convertir 100 °C a °F.

°F = (1.8 × 100) + 32

= 180 + 32

= 212 °F

Fahrenheit a Celsius:

°C = (°F − 32) ÷ 1.8

Ejemplo: convertir 212 °F a °C

°C = (212 − 32) ÷ 1.8

= 180 ÷ 1.8

= 100°C

RESPUESTAS

Actividad: Temperatura

I.

1. **A.** 8 °F
   B. 34 °C
   C. 105 °F
   D. 104.5 °C

2. **A.** por debajo del punto de congelación
   B. por arriba del punto de congelación
   C. por arriba del punto de congelación
   D. por arriba del punto de congelación

3. **A.** por debajo del punto de ebullición
   B. por debajo del punto de ebullición
   C. por debajo del punto de ebullición
   D. por arriba del punto de ebullición

4. **A.** 3 °F
   B. 29 °C
   C. 100 °F
   D. 99.5 °C

II.

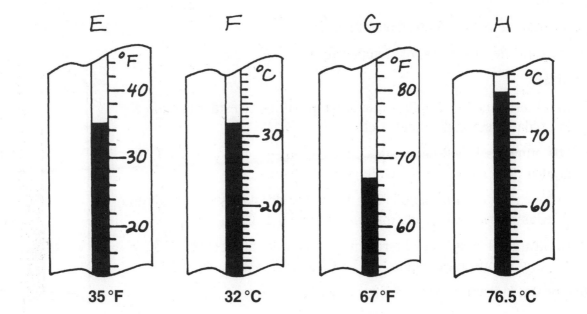

35 °F   32 °C   67 °F   76.5 °C

13

Temperatura

La **temperatura** es una medida de lo frío o caliente que está un objeto. El **termómetro** es el instrumento que mide en forma numérica la temperatura en unidades llamadas **grados** (°). El número 32° se lee "32 grados". La **escala Celsius** es una **escala métrica** de temperatura en la cual el punto de congelación del agua es 0° y el de ebullición es 100°. **Un grado Celsius** (°C) es la unidad métrica para medir la temperatura. La **escala Fahrenheit** es una escala del sistema inglés de temperatura en la cual el punto de congelación del agua es 32° y el de ebullición es de 212°. **Un grado Fahrenheit** (°F) es la unidad del sistema inglés que se usa para medir la temperatura.

Ejercicios de práctica

1. Lee el termómetro y registra la temperatura.

   ¡Piensa!

   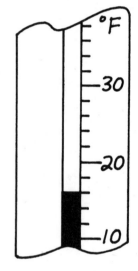

   - En el termómetro, °F indica que el instrumento mide la temperatura en la unidad grados Fahrenheit del sistema inglés y se lee "grados Fahrenheit".

   - Los números 10, 20 y 30 marcados en la escala se leen como "10 °F (10 grados Fahrenheit)", "20 °F (20 grados Fahrenheit)" y "30 °F (30 grados Fahrenheit)".

   - Entre cada marca numerada hay 10° y cinco divisiones entre cada una de ellas; por lo tanto, cada división sin numerar equivale a 2 °F.

   - La altura del líquido en el termómetro se encuentra en la tercera división por arriba de 10 °F. En consecuencia, la lectura del termómetro es 10 °F + 6 °F.

   Respuesta: la lectura del termómetro es 16 °F.

2. Lee el termómetro y registra la temperatura

   ¡Piensa!

   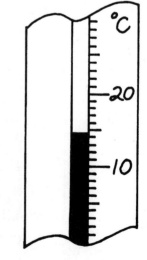

   - En el termómetro, °C indica que la temperatura se está midiendo en la unidad métrica de grados Celsius.

   - Los números 10 y 20 marcados en la escala se leen como "10 °C (diez grados Celsius)" y "20 °C (veinte grados Celsius)".

   - Entre cada marca numerada hay 10° y diez divisiones entre cada una de ellas; por lo tanto, cada división es igual a 1 °C.

   - La altura del líquido en el termómetro está a la mitad entre 14 °C y 15 °C, y se puede leer como "$14^{1}/_{2}$ °C" o "14.5 °C".

   Respuesta: la lectura del termómetro es 14.5 °C.

ACTIVIDAD (continuación)

Ahora te toca a ti

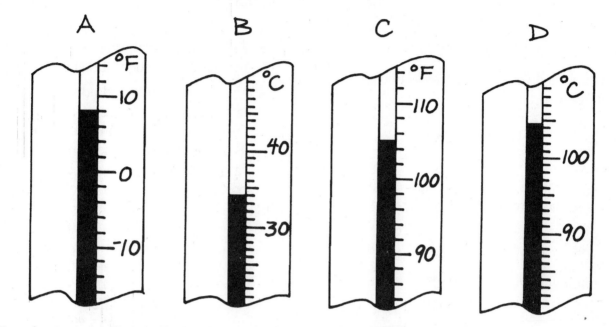

I. Para los termómetros A, B, C y D, responde las siguientes preguntas.

   1. Lee cada termómetro y escribe la temperatura indicada en °C o °F.

   2. ¿La temperatura está por arriba o por debajo del punto de congelación del agua?

   3. ¿La temperatura se encuentra por arriba o por debajo del punto de ebullición del agua?

   4. ¿Cuál sería la lectura si la temperatura disminuyera 5 grados?

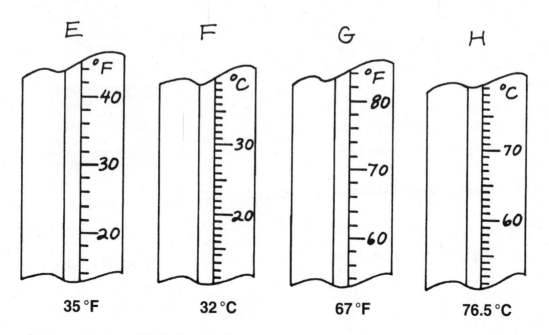

II. Colorea los termómetros E, F, G y H, de manera que cada uno indique la temperatura que se señala.

INVESTIGACIÓN

Sube y baja

OBJETIVO

Construir modelos de termómetros Celsius y Fahrenheit.

Materiales

crayón rojo
fotocopias de los modelos para construir
    termómetros Celsius y Fahrenheit
tijeras
regla
pluma
cinta adhesiva transparente
lápiz

Procedimiento

1. Para construir un modelo de termómetro Celsius sigue estos pasos:

   • Colorea de rojo la tira del líquido y la porción del bulbo en la fotocopia del modelo de termómetro Celsius.

   • Recorta las dos áreas indicadas.

   • Corta a lo largo de la línea punteada para separar la tira de líquido de la otra sección.

   • Coloca la regla a lo largo de las líneas de doblez, luego traza estas líneas con la pluma. Este rayado facilita hacer el doblez.

   • Dobla el papel a lo largo de la línea 1, después a lo largo de la línea 2, y pega las dos secciones con cinta adhesiva.

   • Inserta la tira de líquido en la ranura correspondiente, de manera que el lado coloreado de la tira sea visible a través de las aberturas al frente del modelo.

   • Usa el lápiz para numerar la escala del termómetro, comenzando con 0°.

   • Mueve la tira coloreada de manera que la parte superior de ésta se ubique entre las divisiones novena y décima de la escala. Determina la lectura de temperatura cuando la tira está en dicha posición.

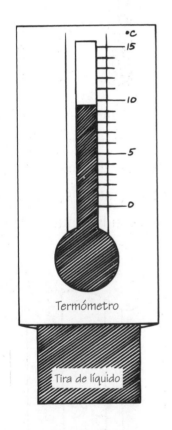

Termómetro

Tira de líquido

2. Repite el paso 1 utilizando la fotocopia del modelo del termómetro Fahrenheit.

Resultados

La lectura de la temperatura en el termómetro Celsius es 9.5 °C, y la del Fahrenheit es 19 °F.

INVESTIGACIÓN (continuación)

Modelo de termómetro Celsius

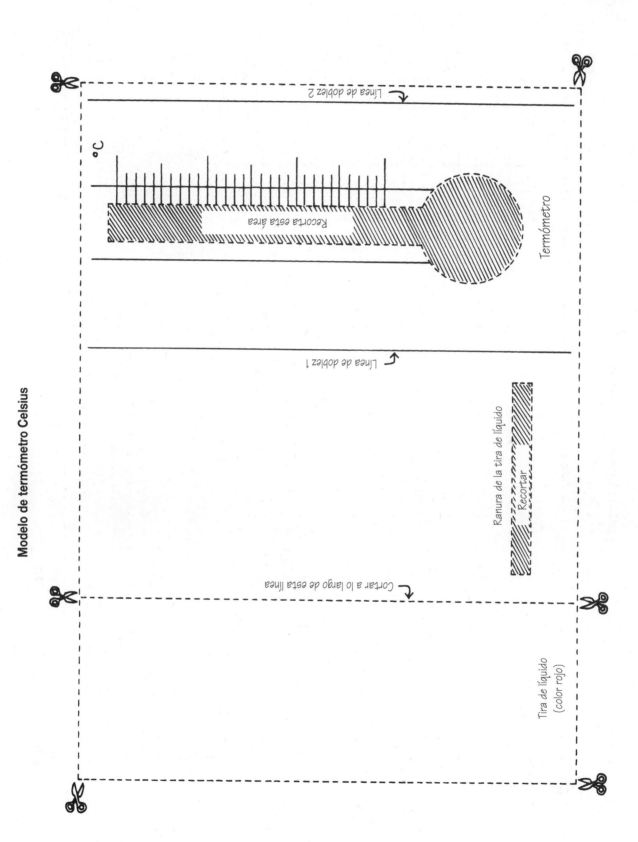

°C

Línea de doblez 2

Recorta esta área

Termómetro

Línea de doblez 1

Ranura de la tira de líquido

Recortar

Cortar a lo largo de esta línea

Tira de líquido
(color rojo)

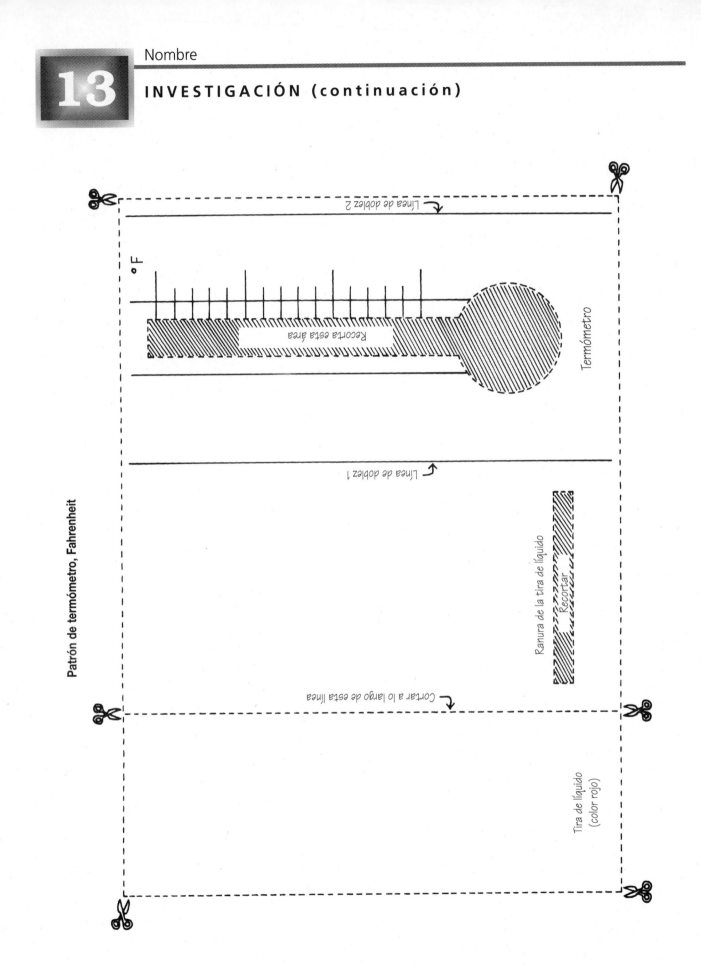

Patrón de termómetro, Fahrenheit

°F

Termómetro

Línea de doblez 2

Recorta esta área

Línea de doblez 1

Ranura de la tira de líquido

Recortar

Cortar a lo largo de esta línea

Tira de líquido (color rojo)

Geometría

La **geometría** es el estudio de las formas y figuras. Usa números y símbolos para describir las propiedades de estas formas y las relaciones entre ellas. Esta sección explora dos tipos diferentes de formas: **figuras planas** (formas geométricas que se encuentran en una superficie plana) y **figuras sólidas** (formas geométricas que tienen tres dimensiones y volumen). El conocimiento de la geometría es importante para responder preguntas de la vida diaria como: ¿qué forma tiene?, ¿de qué tamaño es? y ¿cabe allí? La geometría proporciona las habilidades necesarias para encontrar la respuesta a este tipo de preguntas.

La línea

SUGERENCIAS PARA EL MAESTRO

Guías para evaluar el progreso

Al término del quinto grado, el alumno ya debe saber:
• Identificar una línea.

Al término del sexto grado y en primero de secundaria, el alumno ya debe saber:
• Identificar las características principales de la línea.

En este capítulo se espera que el alumno:
• Señale y asigne un nombre a una línea.

Para presentar los conceptos matemáticos

1. Explique los nuevos términos:

   línea: trayectoria recta que puede continuar de manera indefinida en dos direcciones.

   líneas paralelas: aquellas que están equidistantes en todos sus puntos.

2. Explore los nuevos términos:

   • Es común utilizar la palabra línea para designar al trazo que se realiza en una superficie con una pluma, un lápiz u otra herramienta. Esta línea puede ser de cualquier forma o longitud. Puede ser recta o curva, como las líneas del contorno de la mano.

   • Por definición, en geometría una línea es una trayectoria recta sin puntos finales. Esta continuidad se indica mediante una flecha en cada extremo de la línea recta. En este capítulo se usará la definición geométrica de línea.

   • Una línea geométrica se puede identificar dando nombre a dos puntos cualesquiera dentro de ella, como son los puntos T y A en el diagrama. El nombre de este trazo se lee como "línea TA" o "línea AT". Para escribir el símbolo que identifique a una línea, se nombran dos puntos cualesquiera de ésta y se coloca encima de las letras una línea con una flecha en cada extremo de ella. El símbolo para la línea de la figura es $\overleftrightarrow{TA}$ o $\overleftrightarrow{AT}$.

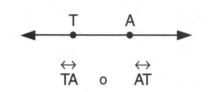

• Las líneas paralelas nunca se cruzan porque se extienden en la misma dirección y son equidistantes en todos sus puntos, como en el siguiente ejemplo.

UN POQUITO MÁS

Un *plano* es una superficie aplanada que se puede extender sin fin en todas direcciones. Las líneas que no están en el mismo plano se llaman *líneas oblicuas*. El alumno puede identificar estas líneas en ilustraciones de revistas; por ejemplo, las líneas que forman estructuras tridimensionales como son los edificios.

RESPUESTAS

Actividad: La línea

1. **a.** El diagrama superior se debe encerrar en un círculo.

   b. línea BX o línea XB

   c. $\overleftrightarrow{BX}$ o $\overleftrightarrow{XB}$

2. **a.** Se debe encerrar en un círculo el diagrama de la derecha.

   b. línea RS o SR

   c. $\overleftrightarrow{RS}$ o $\overleftrightarrow{SR}$

3. **a.**

   b.

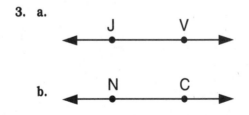

14 ACTIVIDAD

La línea

Una **línea** es una trayectoria recta que puede prolongarse indefinidamente en dos direcciones. En un diagrama, una línea se indica por medio de flechas en los dos extremos de la línea. Para identificar una línea se le asigna por nombre una letra distinta a dos puntos cualesquiera de la misma. El símbolo que designa a una línea incluye las letras de los dos puntos y se coloca encima de ellas una recta con flechas que señalan hacia las dos direcciones. Las **líneas paralelas** tienen siempre una separación equidistante en todos sus puntos.

Ejercicios de práctica

1. Estudia los diagramas A y B y contesta lo siguiente:

   a. ¿Cuál diagrama, A o B, representa una línea?

   b. Dale nombre a la línea.

   c. Escribe el símbolo que representa a la línea.

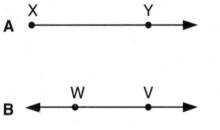

a. ¡Piensa!

- ¿Cuál ejemplo muestra una trayectoria recta con flechas en cada extremo?

Respuesta: el diagrama B representa una línea.

b. ¡Piensa!

- ¿Cuáles son los nombres de dos puntos de la línea?

Respuesta: el nombre de la línea es "línea WV" o "línea VW".

c. ¡Piensa!

- El símbolo de una línea incluye el nombre de dos puntos cualesquiera que se encuentren sobre ella. Encima de las letras se coloca una recta que en cada extremo termina en una flecha.

Respuesta: el símbolo de la línea es $\overleftrightarrow{WV}$ o $\overleftrightarrow{VW}$.

2. ¿Cuál diagrama, C o D, representa unas líneas paralelas?

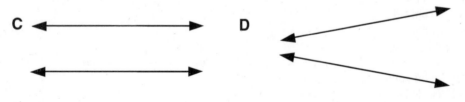

¡Piensa!

- Las líneas paralelas son equidistantes en todos sus puntos.

Respuesta: el diagrama C representa unas líneas paralelas.

ACTIVIDAD (continuación)

Ahora te toca a ti

Examina los diagramas para los problemas 1 y 2, y responde las siguientes preguntas para cada uno de ellos:

a. Encierra en un círculo el diagrama que representa una línea.

b. En el espacio proporcionado, escribe el nombre de la línea.

c. En el espacio proporcionado, escribe el símbolo de la línea.

1.

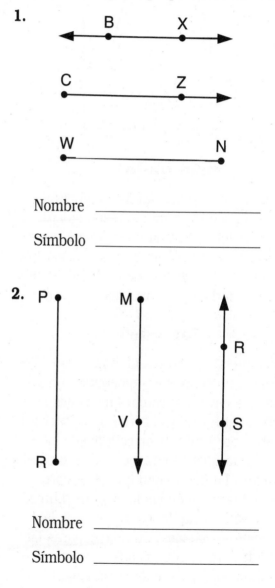

Nombre _____

Símbolo _____

2.

Nombre _____

Símbolo _____

3. Dibuja una línea para cada símbolo. Traza las líneas paralelas entre sí.

a. $\overleftrightarrow{JV}$

b. $\overleftrightarrow{NC}$

14 INVESTIGACIÓN

Ilusión óptica

OBJETIVO

Usar líneas para demostrar una ilusión óptica.

Materiales

regla
2 lápices
hoja tamaño carta

Procedimiento

1. Usa la regla y uno de los lápices para dibujar una línea horizontal de 5 cm (2 pulgadas) en el centro y cerca del borde superior de la hoja de papel.
2. Dibuja una segunda línea del mismo largo, paralela a 2.5 cm (1 pulgada) por debajo de la primera línea. Marca la línea superior como A y la inferior como B.
3. Coloca los dos lápices de manera que queden paralelos y que sus gomas toquen los extremos de la línea A. Observa la longitud de las líneas A y B. ¿Parecen ser del mismo largo?

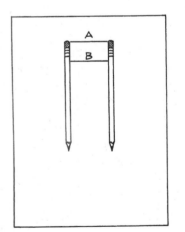

4. Ahora debes mantener las gomas de los lápices tocando los extremos de la línea A, y teniéndolas en esa posición, separa las puntas de los lápices unos 15 cm (6 pulgadas). Compara de nuevo las líneas y observa si una parece más larga que la otra.

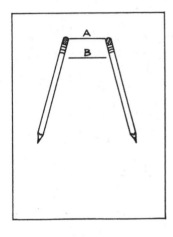

Resultados

Las líneas parecen tener la misma longitud cuando los lápices que están a cada lado de ellas son paralelos, pero la línea A parece ser más larga cuando los lápices no son paralelos, es decir, cuando las gomas de los lápices están más cerca de la línea A y más lejos de la B.

¿Por qué?

A veces lo que se ve, en realidad no existe. Ver es algo más que simplemente percibir con los ojos. Los ojos envían al cerebro mensajes acerca del objeto que ven, y el cerebro los interpreta. Una interpretación incorrecta puede hacer que "veas" una imagen engañosa, que se llama *ilusión óptica*. La manera en que el cerebro interpreta el tamaño de las líneas que dibujaste recibe la influencia de los objetos que las rodean, como los lápices. Cuando separas las puntas de los lápices, la línea A toca las gomas y la línea B parece demasiado corta para tocarlos. Por lo tanto, el cerebro interpreta que la línea B es más corta. No importa que sepas que las dos líneas son del mismo largo, tu cerebro recibe la información y hace una interpretación equivocada; en consecuencia, ves una ilusión óptica.

SUGERENCIAS PARA EL MAESTRO

Guías para evaluar el progreso

Al término del quinto grado, el alumno ya debe saber:
- Identificar segmentos de recta.

Al término del sexto grado y en primero de secundaria, el alumno ya debe saber:
- Identificar las propiedades básicas de un segmento de recta.

En este capítulo se espera que el alumno:
- Señale y asigne un nombre a un segmento de recta.
- Elabore una creación artística uniendo segmentos de recta por medio de puntos.

Prepare lo siguiente

Investigación: Une los puntos.
- Corte una pieza de 20 × 20 cm (8 × 8 pulgadas) de cartulina de color para cada alumno.

Para presentar los conceptos matemáticos

1. Explique el nuevo término:

   segmento de recta: parte de una línea con un punto inicial y un punto final.

2. Explore el nuevo término:

   - Para asignar un nombre a un segmento de recta se usan sus puntos terminales. El nombre del segmento de recta siguiente es "segmento de recta HI" o "segmento de recta IH".

- Para formar el símbolo de un segmento de recta se escriben las letras que indican los dos puntos de sus extremos y se coloca una raya encima de ellas. El símbolo para el segmento de recta mostrado es $\overline{HI}$ o $\overline{IH}$.

UN POQUITO MÁS

Los alumnos pueden elaborar una creación artística uniendo segmentos de recta por medio de puntos. Deben incluir una lista de los segmentos que deben conectarse para completar el dibujo. Asimismo, pueden elaborar copias de sus dibujos para unir puntos y compartir sus ideas creativas con sus compañeros.

RESPUESTAS

Actividad 1: Segmentos de recta

1. **a** Se debe encerrar en un círculo el diagrama B.
   b. Segmento de recta CD o DC.
   c. $\overline{CD}$ o $\overline{DC}$

2. **a.** Se debe encerrar en un círculo el diagrama C.
   b. Segmento de recta JV o VJ.
   c. $\overline{JV}$ o $\overline{VJ}$

3. **a.**
   b.

15 ACTIVIDAD

Segmentos de recta

Un **segmento de recta** es una parte de una línea; se encuentra delimitado por dos puntos, uno inicial y otro final. El nombre del segmento de recta se forma con las letras de los dos puntos de sus extremos, y su símbolo está constituido por el nombre del segmento con una línea que se coloca encima de él.

Ejercicios de práctica

Examina los diagramas A y B y responde las siguientes preguntas:

a. ¿Qué diagrama, A o B, representa un segmento de recta?

b. Ponle nombre al segmento de recta.

c. Escribe el símbolo del segmento de recta.

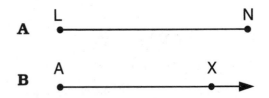

a. ¡Piensa!

• ¿Cuál ejemplo representa un segmento de recta con un punto final en cada extremo?

Respuesta: el diagrama A representa un segmento de recta.

b. ¡Piensa!

• ¿Cuál es el nombre de los puntos inicial y final del segmento de recta? L y N.

Respuesta: el nombre del segmento de recta es segmento de recta LN o NL.

c. ¡Piensa!

• El símbolo de un segmento de recta se forma con el nombre de los puntos inicial y final, colocando una rayita encima de él.

Respuesta: el símbolo del segmento de recta es $\overline{LN}$ o $\overline{NL}$.

Nombre

Ahora te toca a ti

Examina los diagramas para los problemas 1 y 2 y contesta lo que se pide:

a. Encierra en un círculo el diagrama que representa un segmento de recta.

b. Escribe el nombre del segmento de recta.

c. Proporciona el símbolo del segmento de recta.

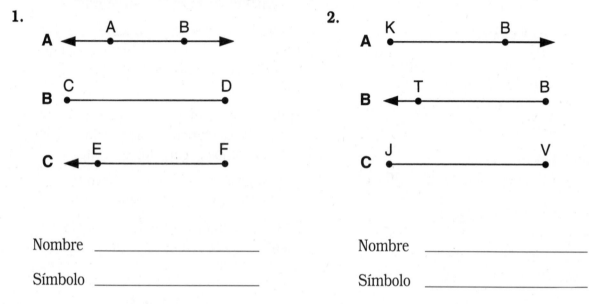

Nombre _____

Símbolo _____

Nombre _____

Símbolo _____

3. Dibuja un segmento de recta para cada símbolo dado.

a. $\overline{KB}$

b. $\overline{TR}$

Une los puntos

OBJETIVO

Elaborar un dibujo en el cual se deban unir segmentos de recta por medio de puntos.

Materiales

copia de la hoja "Une los puntos para
    formar segmentos de recta"
regla
lápiz
tijeras
pegamento blanco
trozos de cartulina de color de 20×20 cm
    (8×8 pulgadas)
diamantina del color que desees
perforadora para papel
trozo de estambre de color de 20 cm
    (8 pulgadas) de largo

Procedimiento

1. Usa la regla y el lápiz para conectar los puntos del diagrama para dibujar los segmentos de recta $\overline{AB}$, $\overline{BC}$, $\overline{CD}$, $\overline{DE}$, $\overline{EF}$, $\overline{FG}$, $\overline{GH}$, $\overline{HI}$, $\overline{IJ}$ y $\overline{JA}$.

2. Recorta el dibujo de la estrella y pégalo en la cartulina.

3. Traza una línea con pegamento siguiendo el interior de los segmentos de recta que forman la estrella. Luego añade líneas de pegamento en zigzag en su interior.

4. Cubre las líneas de pegamento con diamantina. Sacude el exceso de ésta y deja que seque el pegamento. Esto puede tardar una o más horas.

5. Cuando el pegamento haya secado, recorta la estrella de cartulina siguiendo la parte externa de los segmentos de recta.

6. Con la perforadora, haz un hoyo en la punta superior de la estrella.

7. Pasa el estambre por el hoyo y átalo formando un asa. La estrella puede colgarse del estambre.

Resultado

Se forma un bonito diseño de estrella con segmentos de recta.

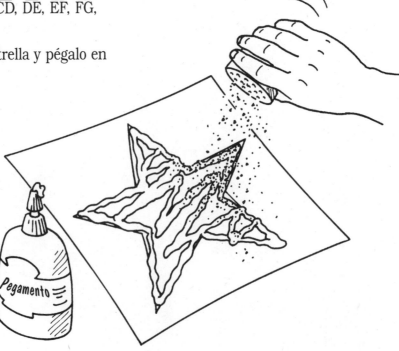

INVESTIGACIÓN (continuación)

Une los puntos para formar segmentos de recta

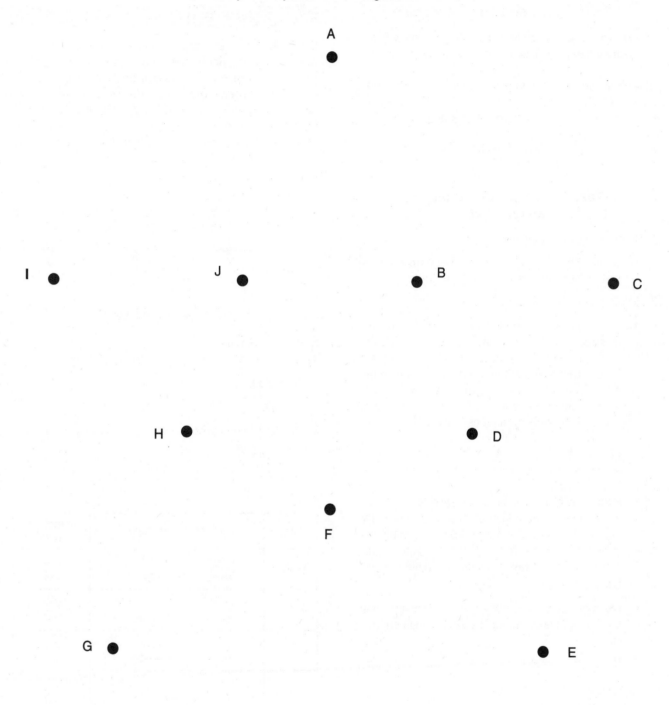

Rayos

SUGERENCIAS PARA EL MAESTRO

Guías para evaluar el progreso

Al término del quinto grado, el alumno ya debe saber:
• Distinguir entre líneas, segmentos de recta y rayos.

Al término del sexto grado y en primero de secundaria, el alumno ya debe saber:
• Identificar los atributos principales de los rayos.

En este capítulo se espera que el alumno:
• Señale y dé nombre a un rayo.

Para presentar los conceptos matemáticos

1. Explique el nuevo término:

   rayo: parte de una línea que sólo tiene un punto inicial (origen); el otro extremo es infinito.

2. Explore el nuevo término:

   • Un rayo comienza en un punto inicial y puede extenderse indefinidamente en la otra dirección, que es la parte de la línea que constituye el rayo. Este extremo se distingue con una punta de flecha. El nombre del rayo comienza en el punto inicial e incluye el segundo punto. El nombre del rayo que se muestra aquí es "rayo HA".

   • Para escribir el símbolo de un rayo, se pone la letra que sirve para identificar al punto inicial y la letra de algún otro punto del rayo. Después se coloca una línea con una punta de flecha en un extremo. Para el rayo del ejemplo, el símbolo es $\overrightarrow{HA}$.

   • Los rayos se pueden usar para indicar dirección. El rayo HA comienza en H y se prolonga en dirección de A.

UN POQUITO MÁS

Los rayos se intersecan si se cruzan o si tienen el mismo punto inicial. Los ejemplos muestran dos rayos con diferentes direcciones. Pida a sus alumnos que dibujen figuras con diferente número de rayos, como dos, tres, cuatro y cinco, que se intersequen en un punto inicial. La distancia entre los rayos, lo mismo que su longitud, serán variables, y los alumnos pueden mostrar su creatividad con sus diagramas.

RESPUESTAS

Actividad: Rayos

1. **a.** Se debe encerrar en un círculo el diagrama B.

   b. rayo CD

   c. $\overrightarrow{CD}$

2. **a.** Se debe encerrar en un círculo el diagrama A.

   b. rayo GW

   c. $\overrightarrow{GW}$

3.

Objeto	Diagrama del rayo	Símbolo del rayo
árbol	C N	$\overrightarrow{CN}$
flor	C E	$\overrightarrow{CE}$
ardilla	C S	$\overrightarrow{CS}$
niño	C O	$\overrightarrow{CO}$

ACTIVIDAD

Rayos

Un **rayo** es una parte de una línea que sólo tiene un punto inicial (origen); el otro extremo es infinito. El nombre del rayo se forma con su punto inicial y cualquier otro punto en la línea. Para formar el símbolo del rayo se utilizan las letras del nombre y arriba de las letras se dibuja una línea con una punta de flecha en su extremo derecho.

Ejercicios de práctica

Para los diagramas A y B:

   a. ¿Cuál diagrama, A o B, representa un rayo?

   b. Escribe el nombre del rayo.

   c. Da el símbolo del rayo.

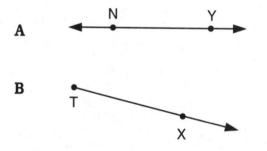

a. ¡Piensa!

- ¿Cuál ejemplo muestra parte de una línea con un punto inicial en un extremo y una punta de flecha en el otro?

Respuesta: el diagrama B representa un rayo.

b. ¡Piensa!

- ¿Cuáles son las letras del punto inicial y del segundo punto? T y X.

Respuesta: el nombre del rayo es TX.

c. ¡Piensa!

Respuesta: el símbolo del rayo es $\overrightarrow{TX}$.

Ahora te toca a ti

Examina los diagramas de los problemas 1 y 2 y contesta lo que se te pide para cada uno de ellos:

   a. Encierra en un círculo el diagrama que representa un rayo.

   b. Da el nombre del rayo.

   c. Escribe el símbolo del rayo.

1.

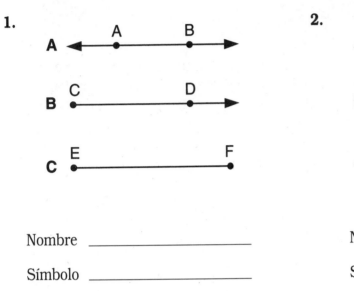

Nombre _____

Símbolo _____

2.

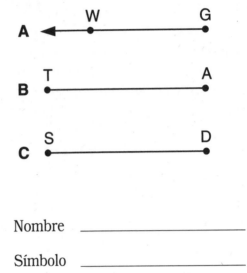

Nombre _____

Símbolo _____

3. Una *brújula* es un instrumento que indica dirección. Su aguja tiene dos puntas. Una siempre apunta hacia el Norte (N) y la otra hacia el Sur (S), como indica la figura. Utilizando las direcciones Norte (N), Sur (S), Este (E) y Oeste (O) de la brújula, dibuja rayos que señalen la dirección de cada objeto partiendo del centro de ésta (C), y escribe el símbolo de cada uno de ellos.

Objeto	Diagrama del rayo	Símbolo del rayo
árbol		
flor		
ardilla		
niño		

Guías para evaluar el progreso

Al término del quinto grado, el alumno ya debe saber:
- Identificar las matemáticas en situaciones cotidianas.
- Identificar ángulos rectos, agudos y obtusos.
- Usar instrumentos para medir ángulos.

Al término del sexto grado y en primero de secundaria, el alumno ya debe saber:
- Seleccionar y usar los instrumentos adecuados para resolver problemas de ángulos.

En este capítulo se espera que el alumno:
- Use instrumentos para clasificar y medir el tamaño de los ángulos.
- Estime el tamaño de los ángulos.

Prepare lo siguiente

Actividad: Clasificación de ángulos.
- Se necesitará una regla transparente con bordes rectos para cada alumno.

Para presentar los conceptos matemáticos

1. Explique los nuevos términos:

ángulo: distancia formada por dos rayos que tienen el mismo punto inicial; también es la distancia entre dos segmentos de recta o líneas que se intersecan.

ángulo agudo: ángulo que mide menos de 90 grados.

ángulo llano: ángulo que mide 180 grados.

ángulo obtuso: ángulo que mide más de 90 grados.

ángulo recto: ángulo que mide 90 grados.

grado (°): unidad para medir ángulos.

intersecar: cruzarse o encontrarse en un mismo punto.

perpendicular: línea que al cruzarse con otra forma un ángulo recto.

transportador: instrumento usado para medir un ángulo.

vértice: punto donde se intersecan rayos, segmentos de recta o líneas; también se le llama origen.

2. Explore los nuevos términos:
- Los ángulos están formados por dos lados que se unen en un punto común llamado vértice.
- Se puede usar el símbolo ∠ en lugar de escribir la palabra ángulo.
- La unidad empleada para medir un ángulo es el grado. Un grado se escribe: 1°.
- Para indicar el punto donde los rayos o segmentos de recta forman un ángulo recto, se dibuja un cuadrado.
- Las líneas y segmentos de recta que se intersecan forman ángulos, pero las líneas paralelas nunca los forman porque nunca se tocan ni se cruzan.

UN POQUITO MÁS

1. La esquina de una tarjeta rectangular mide 90°. Los alumnos pueden usar una tarjeta de cartulina para encontrar ejemplos de ángulos rectos en el salón de clases. Pueden hacer una lista de objetos con ángulos de 90°, como la esquina de un escritorio o el marco de la puerta.
2. Pida a sus alumnos que dibujen ángulos de 30°, 45° y 90° sin ver los diagramas marcados ni usar un transportador. Una vez que hagan los diagramas, pídales que determinen la precisión de sus cálculos midiendo los ángulos con un transportador.

RESPUESTAS

Actividad 1: Clasificación de ángulos

1. recto
2. obtuso
3. agudo
4. obtuso
5. llano
6. agudo

Actividad 2: Uso del transportador

1. **A.** 20°
   B. 140°
   C. 35°
2. 160°

Clasificación de ángulos

Un **ángulo** es la distancia formada entre dos rayos que tienen el mismo punto inicial; también es la separación entre dos segmentos de recta que se intersecan (se cruzan o tocan en un punto). El **vértice** u origen es el punto donde se intersecan los rayos, segmentos de recta o líneas. Un **grado** (°) es la unidad con la que se mide un ángulo. Los ángulos se clasifican de acuerdo con la forma en que sus medidas se comparan con 90°. Un **ángulo agudo** mide menos de 90°, un **ángulo recto** mide 90° y un **ángulo obtuso** mide más de 90°. Un **ángulo llano** mide 180°. Los rayos, segmentos de recta y líneas **perpendiculares** se **intersecan** (se cruzan o encuentran en un punto) para formar ángulos rectos.

Ejercicios de práctica

Usa la esquina de una regla transparente para clasificar los ángulos A, B y C como agudo, obtuso o recto.

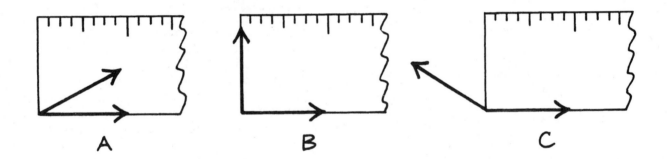

A   B   C

A. ¡Piensa!

- La esquina de la regla mide 90°.

- Coloca la regla sobre el ángulo A de manera que su borde inferior quede sobre uno de los rayos y su esquina toque el vértice del ángulo, tal como se muestra.

- El ángulo A es menor que el de 90° formado por la esquina de la regla.

Respuesta: el ángulo A es agudo.

B. ¡Piensa!

- El ángulo es igual al de 90° formado por la esquina de la regla.

Respuesta: el ángulo B es recto.

C. ¡Piensa!

- El ángulo es mayor que el de 90° formado por la esquina de la regla.

Respuesta: el ángulo C es obtuso.

ACTIVIDAD 1 (continuación)

Ahora te toca a ti

Usa una regla transparente con bordes en ángulo recto para clasificar cada uno de los siguientes ángulos como agudo, recto, obtuso o llano.

1. _____

2. _____

3. _____

4. _____

5. _____

6. _____

17 ACTIVIDAD 2

Uso del transportador

Un **transportador** es el instrumento que se usa para medir el tamaño de un ángulo. El borde curvo de este instrumento tiene una escala que indica los grados. Los transportadores en semi-círculo tienen un borde recto, con una línea que posee un orificio central, que es el punto de referencia para medir los grados de los ángulos con la escala curva.

Ejercicios de práctica

Usa un transportador para medir el ∠ TOM.

¡Piensa!

- Para medir un ángulo, coloca el orificio que está en medio de la línea del transportador sobre el vértice del ángulo. Coloca el transportador de manera que la línea de éste se encuentre sobre un lado del ángulo.

línea del transportador   orificio central

- Puedes usar una regla o una tarjeta de cartulina para extender uno de los lados del ángulo cuando éstos sean demasiado cortos para cruzar la escala del transportador, como se ve en el dibujo.

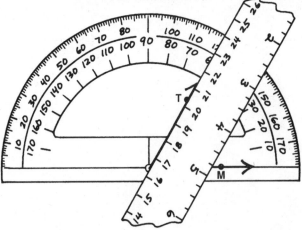

- Hay dos números en la escala donde cruza el segundo vector del ángulo. El número menor es la medida de un ángulo agudo y el mayor es la medida de un ángulo obtuso.

ACTIVIDAD 2 (continuación)

- El ángulo que se está midiendo es agudo, así que la medida del ángulo es el número menor que aparece en el transportador.

Respuesta: el ∠ TOM mide 60°.

Ahora te toca a ti

1. Usa un transportador para medir los ángulos de los diagramas A, B y C.

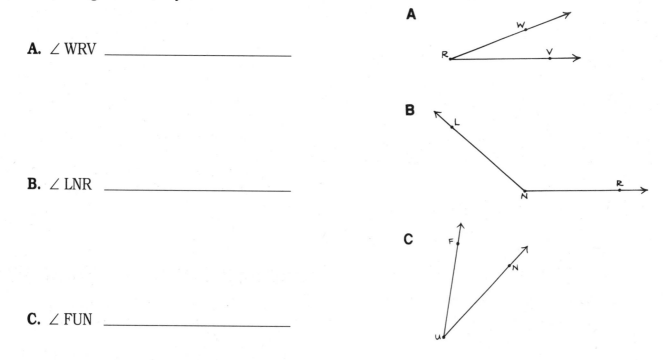

A. ∠ WRV _____

B. ∠ LNR _____

C. ∠ FUN _____

2. Mide el ángulo que forma el respaldo de la silla de playa.

_____

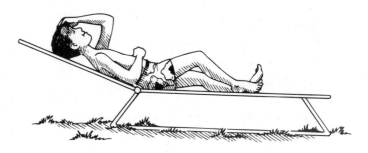

Triángulos

SUGERENCIAS PARA EL MAESTRO

Guías para evaluar el progreso

Al término del quinto grado, el alumno ya debe saber:
- Identificar las características de las figuras geométricas, incluyendo triángulos.

Al término del sexto grado y en primero de secundaria, el alumno ya debe saber:
- Usar propiedades para clasificar figuras, incluyendo triángulos.

En este capítulo se espera que el alumno:
- Clasifique los triángulos por la medida de sus lados.
- Clasifique los triángulos por el tamaño de sus ángulos.
- Demuestre que la suma de los ángulos de un triángulo es igual a 180°.

Prepare lo siguiente

Actividad: Clasificación de Triángulos.
- Se necesitará una regla transparente con bordes rectos para cada alumno.

Para presentar los conceptos matemáticos

1. Explique los nuevos términos:

   congruente: de igual forma o tamaño.

   figura plana: figura geométrica que encierra una superficie plana.

   polígono: figura plana cerrada formada por tres o más segmentos de recta que no se cruzan entre sí.

   triángulo: polígono de tres lados.

   triángulo acutángulo: triángulo cuyos ángulos miden todos menos de 90°.

   triángulo equilátero: triángulo con tres lados iguales.

   triángulo escaleno: triángulo sin lados iguales.

   triángulo isósceles: triángulo con dos lados iguales.

   triángulo obtusángulo: triángulo con un ángulo mayor de 90°.

   triángulo rectángulo: triángulo que tiene un ángulo de 90°.

2. Explore los nuevos términos:
   - Una figura cerrada es aquella que comienza y termina en el mismo punto.
   - Un triángulo es una figura cerrada constituida por tres segmentos de recta.
   - Al igual que los ángulos, los triángulos se pueden clasificar en acutángulos, rectángulos y obtusángulos.
   - Un triángulo acutángulo tiene tres ángulos agudos.
   - Un triángulo rectángulo tiene un ángulo recto y dos ángulos agudos.
   - Un triángulo obtusángulo tiene un ángulo obtuso y dos ángulos agudos.
   - La suma de los ángulos creados por los tres lados de un triángulo siempre es igual a 180°.

UN POQUITO MÁS

1. Los alumnos pueden usar un transportador para medir en grados los ángulos de los triángulos.
2. Los alumnos pueden repetir la investigación "¡Súmalo!" empleando diferentes tipos de triángulos: acutángulo, rectángulo y obtusángulo.

RESPUESTAS

Actividad: Clasificación de triángulos

1. **a.** isósceles
   b. acutángulo
2. **a.** escaleno
   b. obtusángulo
3. **a.** escaleno
   b. rectángulo
4. **a.** isósceles
   b. obtusángulo

ACTIVIDAD

Clasificación de triángulos

Una **figura plana** es una forma geométrica que encierra una superficie plana. Un **polígono** es una figura plana cerrada formada por tres o más segmentos de recta que no se cruzan entre sí. Un **triángulo** es un polígono de tres lados. La palabra **congruente** significa "de igual forma o tamaño". Un **triángulo equilátero** tiene tres lados congruentes; un **triángulo isósceles** tiene dos lados congruentes; y un **triángulo escaleno** no tiene lados congruentes. Un **triángulo rectángulo** tiene un ángulo de 90°. Un **triángulo acutángulo** sólo tiene ángulos menores de 90°. Un **triángulo obtusángulo** tiene un ángulo mayor de 90°.

Ejercicios de práctica

1. De acuerdo con la medida de sus lados, determina si se trata de un triángulo equilátero, isósceles o escaleno.

   ¡Piensa!

   • Si usas una regla para medir los lados del triángulo del dibujo, verás que tiene dos lados congruentes.

   Respuesta: es un triángulo isósceles.

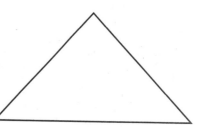

2. De acuerdo con la medida de sus ángulos, determina si se trata de un triángulo rectángulo, acutángulo u obtusángulo.

   ¡Piensa!

   • Al medirlos con un transportador, te darás cuenta de que el ∠ A del dibujo mide 90°, y que el ∠ B y el ∠ C miden menos de 90°.

   • ¿Qué tipo de triángulo tiene un ángulo de 90°?

   Respuesta: un triángulo rectángulo.

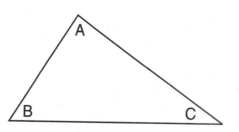

Ahora te toca a ti

Clasifica cada triángulo por:

a. la medida de sus lados, es decir, como equilátero, isósceles o escaleno.

b. la medida de sus ángulos, es decir, como rectángulo, acutángulo u obtusángulo.

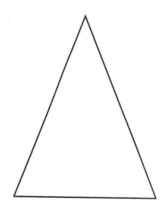

1. a. _____

   b. _____

18 ACTIVIDAD (continuación)

2. a. _____

    b. _____

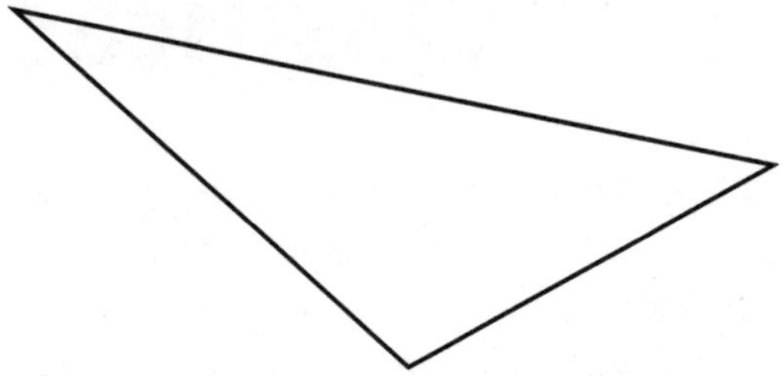

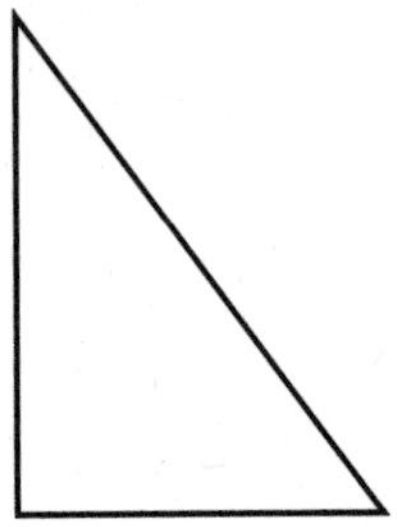

3. a. _____

    b. _____

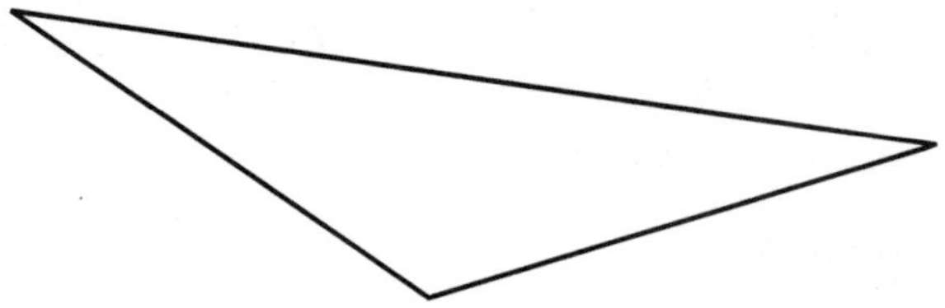

4. a. _____

    b. _____

¡Súmalo!

OBJETIVO

Determinar la suma de los ángulos de un triángulo.

Materiales

hoja de papel
tijeras
regla
lápiz

Procedimiento

1. Dobla el papel a la mitad juntando los lados cortos. Desdóblalo y corta por la línea del doblez.

2. Usa la regla y el lápiz para dibujar una línea que atraviese el centro de una de las mitades de la hoja.

3. Usa la regla y el lápiz para dibujar un triángulo lo más grande que sea posible en la otra mitad de la hoja.

4. Marca los ángulos del triángulo como A, B y C y sombrea la esquina de cada uno de ellos como se indica.

5. Recorta el triángulo.

6. Corta las puntas del triángulo a una distancia aproximada de 2.5 cm (1 pulgada), tal como se muestra aquí.

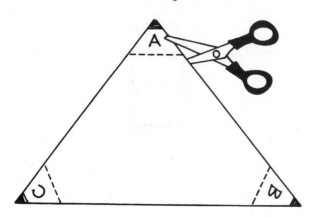

7. En la línea dibujada en la primera pieza de papel, coloca juntas en un punto las puntas del triángulo. Observa el ángulo que forman las piezas combinadas.

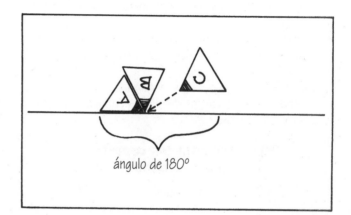

ángulo de 180°

Resultado

Los ángulos combinados del triángulo forman un ángulo llano, que mide 180°, aunque la longitud de los lados de los triángulos puede variar.

¿Por qué?

Dado que la suma de los ángulos de cualquier triángulo es igual a 180°, esta actividad funcionará con cualquier triángulo sin importar el tamaño de sus ángulos.

Cuadriláteros

SUGERENCIAS PARA EL MAESTRO

Guías para evaluar el progreso

Al término del quinto grado, el alumno ya debe saber:
- Identificar las características principales de los cuadriláteros.
- Usar gráficas y diagramas para encontrar regularidades en los cuadriláteros, como las relaciones entre ellos.

Al término del sexto grado y en primero de secundaria, el alumno ya debe saber:
- Identificar los cuadriláteros por las características y relaciones especiales entre sus lados y ángulos.

En este capítulo se espera que el alumno:
- Aprenda a identificar los diferentes cuadriláteros y sus características específicas.

Para presentar los conceptos matemáticos

1. Explique los nuevos términos:

   cuadrado: paralelogramo con cuatro lados de igual largo y cuatro ángulos rectos.

   cuadrilátero: polígono de cuatro lados.

   paralelogramo: cuadrilátero cuyos lados opuestos son paralelos y del mismo largo.

   rectángulo: paralelogramo con lados opuestos del mismo largo y cuatro ángulos rectos.

   rombo: paralelogramo con cuatro lados de igual largo.

   trapecio: cuadrilátero con un par de lados paralelos.

   trapezoide: cuadrilátero sin lados paralelos.

2. Explore los nuevos términos:
   - El prefijo "cuad" significa cuatro. Los animales con cuatro patas se llaman cuadrúpedos, y los sistemas de sonido con cuatro pistas se llaman cuadrafónicos.
   - Un cuadrilátero es un paralelogramo sólo si los dos pares de lados opuestos son paralelos.
   - Un paralelogramo es cualquier polígono cuyos lados opuestos son del mismo largo y paralelos entre sí.
   - Los tres tipos especiales de paralelogramos son rectángulos, rombos y cuadrados.

- Un cuadrado siempre es un ejemplo de rombo, pero el rombo no es un cuadrado, porque no tiene cuatro ángulos rectos.
- Un cuadrado siempre es un ejemplo de rectángulo, pero el rectángulo no es cuadrado porque no tiene cuatro lados iguales.
- El dibujo a continuación muestra estos cuadriláteros: trapezoide, trapecio, paralelogramo, rombo, cuadrado y rectángulo.

Trapezoide

Trapecio

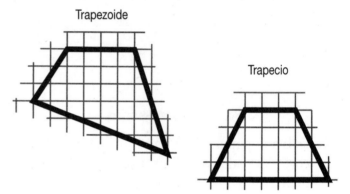

Paralelogramo

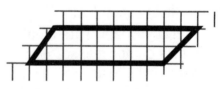

Rombo   Cuadrado

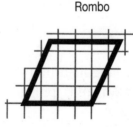

Rectángulo

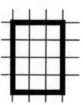

- Los cuadrados y los rombos tienen lados congruentes, lo cual significa que los cuatro lados miden lo mismo.
- El romboide también es un paralelogramo.

UN POQUITO MÁS

1. Los alumnos pueden comparar las propiedades de paralelogramos, rectángulos, cuadrados y rombos usando los diagramas del problema de la sección "Ahora te toca a ti", Actividad 1.
2. Con un compás, los alumnos pueden medir los ángulos de los paralelogramos para comprobar estas propiedades:
   a. Los pares de ángulos consecutivos de los paralelogramos son *ángulos suplementarios* (su suma es igual a 180°).
   b. Los ángulos opuestos de un paralelogramo son congruentes.

RESPUESTAS

Actividad 1: Cuadriláteros

1. trapecio
2. trapezoide
3. paralelogramo (rombo)
4. paralelogramo (cuadrado)
5. paralelogramo

Actividad 2: Paralelogramos

1. rombo
2. cuadrado
3. cuadrado
4. paralelogramo
5. rectángulo

ACTIVIDAD 1

Cuadriláteros

Un **polígono** es una figura cerrada formada por tres o más segmentos de recta unidos sólo en los extremos, de tal manera que cada extremo únicamente está conectado a dos segmentos de recta. Un **cuadrilátero** es un polígono de cuatro lados. Los cuadriláteros se pueden clasificar con base en sus lados paralelos. Un **trapecio** es un cuadrilátero con un par de lados paralelos. Un **trapezoide** es un cuadrilátero sin lados paralelos. Un **paralelogramo** es un cuadrilátero con dos pares de lados paralelos cuyos lados opuestos miden lo mismo.

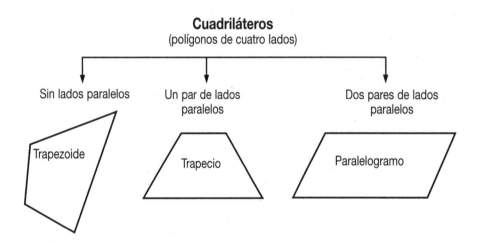

Cuadriláteros
(polígonos de cuatro lados)

Sin lados paralelos · Un par de lados paralelos · Dos pares de lados paralelos

Trapezoide · Trapecio · Paralelogramo

Ejercicios de práctica

Examina el diagrama y contesta lo que se te pide:

1. ¿Qué figura es un trapezoide?

2. ¿Cuántas figuras son paralelogramos?

3. ¿Qué figura es un trapecio?

1. ¡Piensa!

• Un trapezoide no tiene lados paralelos.

• ¿Qué figura carece de lados paralelos?

Respuesta: la figura F es un trapezoide.

2. ¡Piensa!

• Un paralelogramo tiene dos pares de lados paralelos.

• ¿Qué figuras tienen dos pares de lados paralelos? A, B, D, E.

Respuesta: hay cuatro paralelogramos.

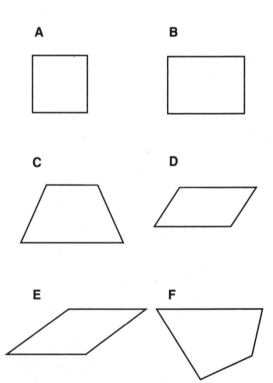

ACTIVIDAD 1 (continuación)

3. ¡Piensa!

• Un trapecio tiene un par de lados paralelos.

• ¿Qué figura tiene un par de lados paralelos?

Respuesta: la figura C es un trapecio.

Ahora te toca a ti

Clasifica las figuras que se muestran en seguida como trapecio, trapezoide o paralelogramo.

1. _____

2. _____

3. _____

4. _____

5. _____

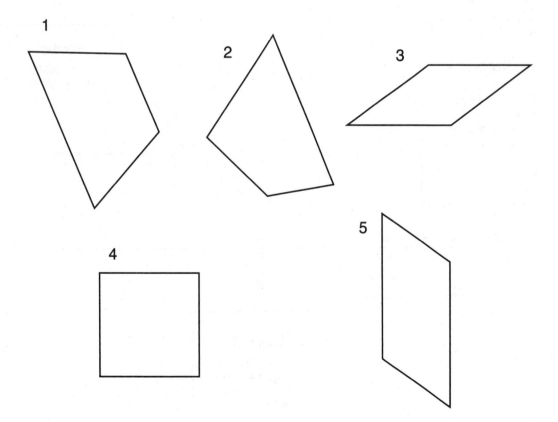

ACTIVIDAD 2

Paralelogramos

Un **paralelogramo** es un cuadrilátero cuyos lados opuestos son paralelos y tienen el mismo largo. Un pequeño cuadro dibujado en la esquina de un cuadrilátero indica un ángulo recto. Un **rectángulo** es un paralelogramo con lados opuestos del mismo largo y cuatro ángulos rectos. Un **rombo** es un paralelogramo con cuatro lados de igual longitud. Un **cuadrado** es un paralelogramo con cuatro lados de igual longitud y cuatro ángulos rectos.

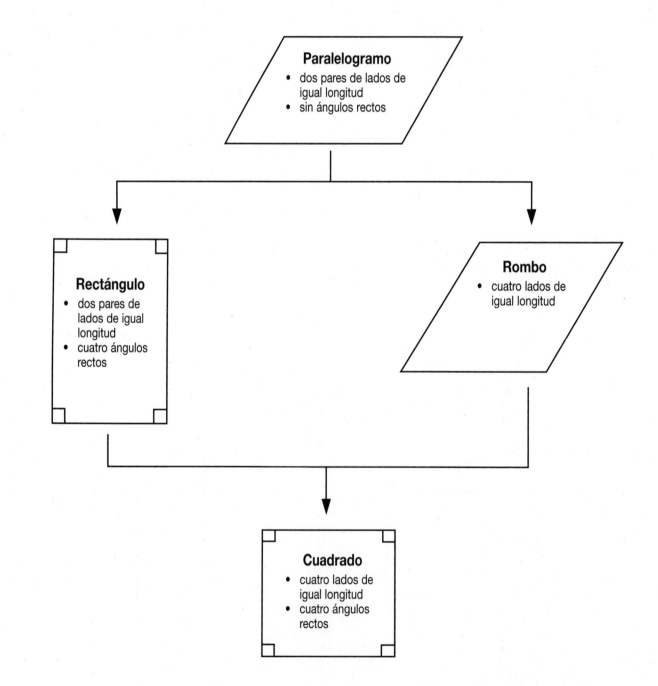

ACTIVIDAD 2 (continuación)

Ejercicios de práctica

Escribe el nombre que mejor describa cada figura.

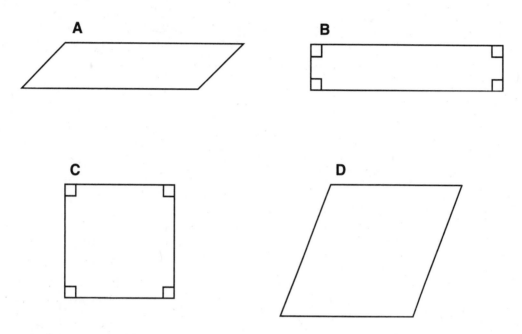

A. ¡Piensa!

* La figura tiene dos pares de lados paralelos, dos pares de lados de igual longitud y ningún ángulo recto.

Respuesta: el nombre que mejor describe a la figura A es paralelogramo.

B. ¡Piensa!

* La figura tiene dos pares de lados paralelos, dos pares de lados de igual longitud y cuatro ángulos rectos.

Respuesta: el nombre que mejor describe a la figura B es rectángulo.

C. ¡Piensa!

* La figura tiene dos pares de lados paralelos, cuatro lados de igual longitud y cuatro ángulos rectos.

Respuesta: el nombre que mejor describe a la figura C es cuadrado.

D. ¡Piensa!

* La figura tiene dos pares de lados paralelos, cuatro lados de igual longitud y ningún ángulo recto.

Respuesta: el nombre que mejor describe a la figura D es rombo.

19

ACTIVIDAD 2 (continuación)

Ahora te toca a ti

Escribe el nombre que mejor describa a cada una de las figuras de abajo. Puedes usar una regla para determinar la longitud de sus lados.

1. _____

2. _____

3. _____

4. _____

5. _____

3

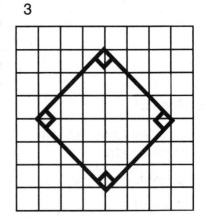

1

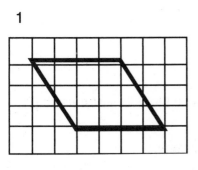

2

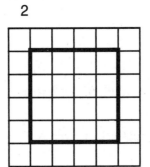

4

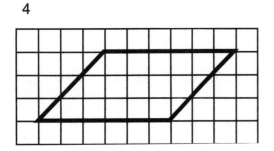

5

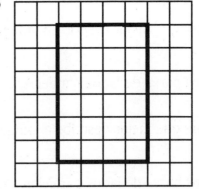

Círculos

Guías para evaluar el progreso

Al término del quinto grado, el alumno ya debe saber:
- Realizar mediciones para resolver problemas de circunferencia.
- Usar resultados experimentales para hacer predicciones.

Al término del sexto grado y en primero de secundaria, el alumno ya debe saber:
- Describir la relación que existe entre radio, diámetro y circunferencia de un círculo.
- Resolver problemas de circunferencia.

En este capítulo se espera que el alumno:
- Mida el diámetro y radio de un círculo y determine su circunferencia.
- Determine el valor de pi.
- Dibuje círculos de diferentes diámetros.

Prepare lo siguiente

Investigación: Pi.
- En caso de utilizar latas vacías, cerciórese de que los bordes no estén afilados. Puede colocar cinta de aislar alrededor de los bordes para hacerlos seguros. Prepare tres latas para cada alumno o equipo y márquelas como A, B y C.

Para presentar los conceptos matemáticos

1. Explique los nuevos términos:

   círculo: figura plana cuyos puntos están todos a la misma distancia de su centro.

   circunferencia: perímetro de un círculo.

   cuerda: línea recta que une dos puntos de la circunferencia.

   diámetro: línea recta que toca dos puntos de la circunferencia pasando por su centro, llamada también cuerda.

   perímetro: contorno de una figura cerrada.

   pi: relación entre la circunferencia de un círculo y su diámetro.

   radio: segmento de recta que une el centro de la circunferencia con cualquier punto de ella.

2. Explore los nuevos términos:
   - La circunferencia de un círculo dividida entre su diámetro es aproximadamente igual a 3.14 o $3^1/_7$.
   - La relación entre la circunferencia y su diámetro es igual a pi, que se simboliza con la letra griega π.
   - Pi es igual para todos los círculos, sin importar su tamaño.

UN POQUITO MÁS

1. Se pueden usar círculos de diferente diámetro para evaluar el aprendizaje de los términos revisados en clase. Proporcione a cada alumno el dibujo de dos o más círculos y pídales que determinen su circunferencia, diámetro y radio. Pueden escribir las medidas en la hoja y luego entregarla para su evaluación.

2. Los alumnos pueden medir latas más grandes o pequeñas que las empleadas en la investigación "Pi" para comparar la relación circunferencia-diámetro. Las mediciones se pueden realizar en unidades del sistema métrico y del sistema inglés.

RESPUESTAS

Actividad: Exploración de la circunferencia

Círculo	Circunferencia, $C = \pi d$	Circunferencia, $C = 2\pi r$
1. diámetro de 3 pies	$C = 3.14 \times 3$ pies $C = 9.42$ pies	$C = 2 \times 3.14 \times 1.5$ pies $C = 9.42$ pies
2. radio de 8 m	$C = 3.14 \times 16$ cm $C = 50.24$	$C = 2 \times 3.14 \times 8$ m $C = 50.24$ m
3. diámetro de 40 cm	$C = 3.14 \times 40$ cm $C = 125.6$ cm	$C = 2 \times 3.14 \times 20$ cm $C = 125.6$ cm
4. radio de 10 yardas	$C = 3.14 \times 20$ yardas $C = 62.8$ yardas	$C = 2 \times 3.14 \times 10$ yardas $C = 62.8$ yardas

20 ACTIVIDAD

Exploración de la circunferencia

Un **círculo** es una figura plana cuyos puntos se encuentran todos a la misma distancia de su centro. Una **cuerda** es una línea recta que une dos puntos de la circunferencia. La línea recta que toca dos puntos de la circunferencia pasando por su centro, se llama **diámetro**. La mitad del diámetro, que es un segmento de recta que va del centro del círculo a cualquier punto de éste, se llama **radio**. La distancia alrededor de una figura cerrada, su contorno, se llama **perímetro**. El perímetro de un círculo se llama **circunferencia**. La fórmula $C = \pi d$, se lee como "la circunferencia es igual a pi por diámetro". **Pi (π)** es la relación entre la circunferencia de un círculo y su diámetro, y es aproximadamente igual a 3.14.

Ejercicios de práctica

1. Usa la fórmula $C = \pi d$ para determinar la circunferencia del círculo del dibujo. Llena los espacios en las ecuaciones que se muestran enseguida.

   $C =$ _____ $\times$ _____

   $C =$ _____ pulgadas

   ¡Piensa!

   - El radio del círculo es de 4 pulgadas. Dado que el diámetro del círculo es el doble de su radio, el diámetro del círculo (d) es 2×4 pulgadas = 8 pulgadas.

   - Para calcular cuál es su circunferencia, usa el valor de pi y el diámetro del círculo.

   Respuesta: $C = 3.14 \times 8$ pulg

   $C = 25.12$ pulg

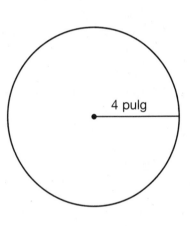

4 pulg

2. Para determinar la circunferencia del círculo del diagrama, usa la fórmula $C = 2\pi r$. Llena los espacios en las ecuaciones que se muestran enseguida.

   $C = 2 \times$ _____ $\times$ _____

   $C =$ _____ cm

   ¡Piensa!

   - La fórmula $C = 2\pi r$, se lee como "la circunferencia es igual a 2 por pi por radio".

   - El diámetro del círculo es de 20 cm, así que el radio de éste es 20 cm ÷ 2 = 10 cm.

   - Utiliza el valor de pi y del radio del círculo para calcular la circunferencia.

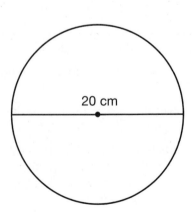

20 cm

ACTIVIDAD (continuación)

Respuesta: $C = 2 \times 3.14 \times 10$ cm
$\qquad C = 62.8$ cm

Ahora te toca a ti

Utiliza las fórmulas que se indican para calcular la circunferencia de los círculos descritos en la columna 1. Llena los espacios vacíos.

Círculo	Circunferencia, $C = \pi d$	Circunferencia, $C = 2\pi r$
1. diámetro de 3 pies	$C =$ _____ $\times$ _____ $C =$ _____	$C = 2 \times$ _____ $\times$ _____ $C =$ _____
2. radio de 8 m	$C =$ _____ $\times$ _____ $C =$ _____	$C = 2 \times$ _____ $\times$ _____ $C =$ _____
3. diámetro de 40 cm	$C =$ _____ $\times$ _____ $C =$ _____	$C = 2 \times$ _____ $\times$ _____ $C =$ _____
4. radio de 10 yardas	$C =$ _____ $\times$ _____ $C =$ _____	$C = 2 \times$ _____ $\times$ _____ $C =$ _____

20

INVESTIGACIÓN

Pi

OBJETIVO

Determinar el valor de pi.

Materiales

cinta métrica
3 latas de diferente tamaño marcadas como
   A, B, C

Procedimiento

1. Con la cinta métrica, mide la circunferencia (distancia alrededor) de la lata A en cm. Anota la medida en la tabla "Medidas de circunferencia y diámetro".

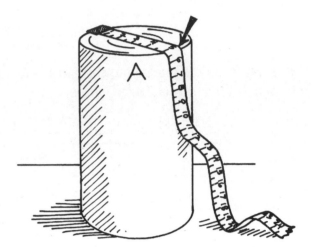

2. Mide el diámetro (distancia que atraviesa la parte superior) de la lata A en cm. Anota el dato en la tabla de medidas.

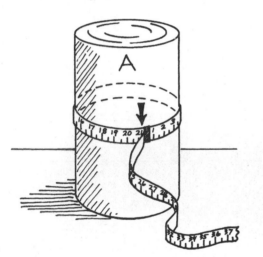

3. Calcula la relación entre circunferencia y diámetro para la lata A dividiendo la medida de su circunferencia entre su diámetro. Anota la respuesta en la tabla.

4. Repite los pasos 1 a 3 para las latas B y C.

5. ¿A qué conclusión llegas después de comparar la relación entre circunferencia y diámetro para las tres latas?

Resultados

La relación entre circunferencia y diámetro para cada lata debe ser igual a 3.14. Aunque sólo se usaron tres latas, es posible suponer que esto es verdad para cualquier tamaño de lata u objeto redondo porque $^{C}/_{d} = \pi$.

MEDIDAS DE CIRCUNFERENCIA Y DIÁMETRO			
Objeto	**Medidas**		
	Circunferencia (C), cm	Diámetro (d), cm	Circunferencia/diámetro, $^{C}/_{d}$
A			
B			
C			

Área del círculo

SUGERENCIAS PARA EL MAESTRO

Guías para evaluar el progreso

Al término del quinto grado, el alumno ya debe saber:
- Realizar mediciones para resolver problemas de área.
- Emplear modelos para resolver problemas.
- Usar instrumentos (esto es, objetos reales) y tecnología (como una calculadora) para resolver problemas.

Al término del sexto grado y en primero de secundaria, el alumno ya debe saber:
- Relacionar modelos con fórmulas para resolver problemas de área o superficie.
- Usar herramientas tecnológicas y cálculo mental para resolver problemas.

En este capítulo se espera que el alumno:
- Determine el área del círculo en unidades del sistema métrico o del sistema inglés.
- Use una calculadora para encontrar las respuestas.
- Elabore un modelo de la relación entre el área de un círculo y el área de un rectángulo confeccionado de partes del círculo.

Para presentar los conceptos matemáticos

1. Explique los nuevos términos:

   área: cantidad de superficie que cubre una figura.

   potencia: otro nombre para el exponente.

2. Explore los nuevos términos:

   - En la fórmula del área del círculo, $A = \pi r^2$,

     1) El símbolo π representa a la letra griega pi, que es igual a la división de la circunferencia de un círculo entre su diámetro. El número decimal aproximado para pi es 3.14. Una fracción aproximada para pi es $3\frac{1}{7}$.

     2) La variable r^2 no significa $2r$. El 2 es un exponente, y la expresión es igual a $r \times r$.

   - El número 4^5 se lee así: "cuatro elevado a la quinta potencia" o, simplemente, "cuatro a la quinta potencia". Esto es lo mismo que $4 \times 4 \times 4 \times 4 \times 4$. La segunda y tercera potencias tienen nombres especiales: 3^2 es "3 a la segunda potencia" o "tres al cuadrado"; y 3^3 es "tres a la tercera potencia" o "tres al cubo".

- Cuando dos unidades se multiplican, como cm $\times$ cm, se coloca un 2 pequeño en el extremo superior derecho de dicha unidad (cm^2), y la combinación se lee como "centímetro cuadrado".

- Si una figura se mide en centímetros, su área se expresa en centímetros cuadrados (cm^2).

UN POQUITO MÁS

Los alumnos pueden usar las teclas π y x^2 de su calculadora científica para encontrar el área de los círculos. Por ejemplo, se usarán estas teclas para encontrar el área de un círculo cuyo radio mide 4 pulgadas. Cabe observar que las calculadoras científicas varían, pero todas tienen dos funciones para la mayoría de las teclas. Si se presiona la tecla *shift* (algunas calculadoras usan *2nd* o *Inv*) se tendrá acceso a la segunda función.

$$A = \pi r^2$$
$$= \pi \times (4 \text{ pulg})^2$$
$$= 50.24 \text{ pulg}^2$$

Respuestas

Actividad: Área del círculo

1. **a.** 314 cm^2

   b. 50.24 pulg^2

2. **a.** 314 cm^2

   b. 50.24 pulg^2

3. **a.** 706.50 cm^2

   b. 113.04 pulg^2

4. **a.** 193.50 cm^2

   b. 30.96 pulg^2

21 ACTIVIDAD

Área del círculo

El **área** es la cantidad de superficie que cubre una figura. La fórmula para calcular el área de un círculo es $A = \pi r^2$, donde A = área. El símbolo π se lee "pi", y tiene un valor aproximado de 3.14, y r = radio. La r se refiere a un número base y 2 es un exponente. Un número base es aquel que se multiplica por sí mismo el número de veces equivalente al valor del exponente. Un exponente, también llamado **potencia**, es el número que está arriba a la derecha del número base y que indica el número de veces que la base debe ser multiplicada por sí misma. En la fórmula, r^2 se lee como "r al cuadrado" y significa $r \times r$.

Ejercicios de práctica

1. Calcula el área de la pizza en unidades métricas.

   ¡Piensa!

   - La pizza es un círculo.

   - La fórmula para calcular el área del círculo es $A = \pi r^2$.

   - Usa el radio de 15 cm y la fórmula $A = \pi r^2$ para determinar el área de la pizza en unidades métricas. $A = 3.14 \times (15 \text{ cm})^2$.

   - Simplifica el exponente: $(15 \text{ cm})^2 = 15 \text{ cm} \times 15 \text{ cm}$. Cuando multiplicas 15×15 obtienes 225 como resultado. Cuando multiplicas dos unidades métricas, el resultado es esa unidad al cuadrado: $\text{cm} \times \text{cm} = \text{cm}^2$.

   - Así, $15 \text{ cm} \times 15 \text{ cm} = 225 \text{ cm}^2$, se lee "doscientos veinticinco centímetros cuadrados".

   - Sustituye el valor de π y r^2 en la fórmula y resuelve para A. $A = 3.14 \times 225 \text{ cm}^2$

   Respuesta: $A = 706.5 \text{ cm}^2$

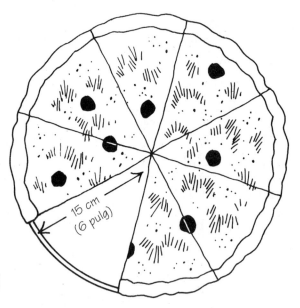

15 cm
(6 pulg)

2. Calcula la superficie de la pizza en unidades inglesas.

   ¡Piensa!

   - El radio de la pizza es de 6 pulgadas y $\pi = 3.14$.

   - Sustituye los valores de π y r en la fórmula: $A = 3.14 \times (6 \text{ pulg})^2$.

   - Simplifica el exponente: $(6 \text{ pulg})^2 = 6 \times 6$ pulg. Al multiplicar 6×6, obtienes el producto 36. Cuando multiplicas dos unidades, el producto es la unidad al cuadrado. Así que $6 \text{ pulg} \times 6 \text{ pulg} = 36 \text{ pulg}^2$ que se lee como "36 pulgadas cuadradas". $A = 3.14 \times 36 \text{ pulg}^2$.

   Respuesta: $A = 113.04 \text{ pulg}^2$.

ACTIVIDAD (continuación)

Ahora te toca a ti

Determina el área en unidades: a) del sistema métrico y b) del sistema inglés. Redondea cada respuesta al lugar de las centésimas.

1. La longitud de cada aspa del ventilador desde el centro de éste es de 10 cm (4 pulgadas). Calcula el área del círculo que barren las aspas con cada vuelta completa.

2. Determina el área de la tapa de la lata.

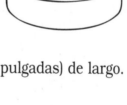

20 cm (8 pulg)

3. El segundero del reloj mide 15 cm (6 pulgadas) de largo. Determina el área que barre esta manecilla en 1 minuto.

4. Si de un cuadrado con lados de 30 cm (12 pulgadas) recortas un círculo. ¿Cuánto material se desperdiciará?

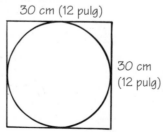

30 cm (12 pulg)

30 cm (12 pulg)

INVESTIGACIÓN

Pay rectangular

OBJETIVO

Comparar el área del círculo con la de un rectángulo hecho con partes de dicho círculo.

Materiales

crayón de cualquier color
copia del dibujo "Rebanadas de pay"
regla
hoja de papel
lápiz
tijeras
cinta adhesiva transparente

Procedimiento

1. Con el crayón, sombrea la mitad inferior del círculo, tal como se muestra en seguida.

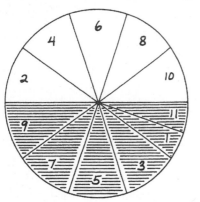

2. Con la regla, mide el radio del círculo y con esta medida determina el producto de pi × radio ($\pi \times r$).

3. Con la regla y el lápiz, dibuja en la hoja de papel un rectángulo con una base igual al producto de radio × pi y una altura igual al radio del círculo (determinado en el paso 2).

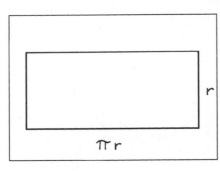

4. Corta las rebanadas de pay del círculo y acomódalas dentro del rectángulo como se muestra en el diagrama.

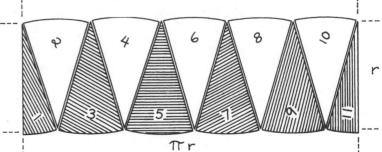

5. Calcula el área del rectángulo con la siguiente fórmula:
A = base × altura
$\quad = (\pi r)r$

6. Calcula el área del círculo con la fórmula:
$A = \pi r^2$
$\quad = (\pi r)r$

Resultados

Las partes del círculo casi llenan el rectángulo. El área del círculo y la del rectángulo son iguales.

¿Por qué?

Aunque hay algunos espacios vacíos dentro del rectángulo, algunas de las rebanadas de pay se extenderán más allá de éste. La comparación entre el área del rectángulo y la del círculo indica que la cantidad de rebanadas de pay que queda fuera de dicho rectángulo debe ser igual a los espacios vacíos dentro de éste. Entonces, el área del círculo y la del rectángulo son iguales si la altura de este último es igual al radio (r) del círculo y la base del rectángulo es igual a πr.

INVESTIGACIÓN (continuación)

21

Rebanadas de pay

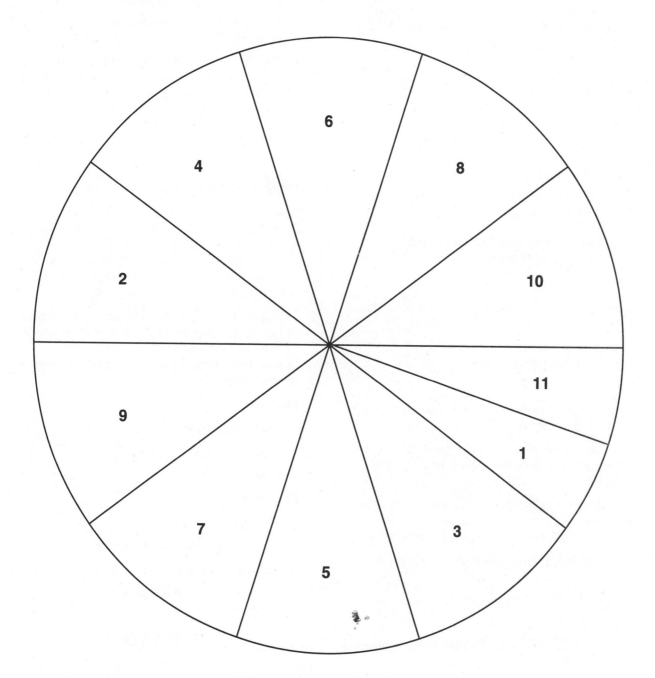

Área de paralelogramos
SUGERENCIAS PARA EL MAESTRO

Guías para evaluar el progreso

Al término del quinto grado, el alumno ya debe saber:
- Realizar mediciones para resolver problemas de área.
- Emplear modelos para resolver problemas.

Al término del sexto grado y en primero de secundaria, el alumno ya debe saber:
- Relacionar modelos con fórmulas para resolver problemas de área o superficie.

En este capítulo se espera que el alumno:
- Calcule áreas de paralelogramos y rectángulos.
- Use modelos para comparar el área de paralelogramos y rectángulos de igual base y altura.

Para presentar los conceptos matemáticos

1. Explique los nuevos términos:

   altura: la distancia perpendicular a la base de una figura plana.

   base: en una figura plana, la distancia a lo largo de su parte horizontal.

2. Explore los nuevos términos:

   - Los símbolos para área, base y altura son A, b, y h, respectivamente.

   - Por lo general, el área se mide por el número de cuadrados de igual tamaño que caben en una figura.

   - Dado que una fórmula es una ecuación, las dos expresiones que se encuentran en los lados opuestos del signo igual tienen el mismo valor.

   - El área de un rectángulo se determina por la fórmula

     Área = base × altura

     $A = b \times h$

   - Dos variables escritas juntas (como bh) indican que se multiplican entre sí.

   - El área de un paralelogramo se determina con la misma ecuación utilizada para el rectángulo, $A = b \times h$. La diferencia es que en esta ecuación la altura no es el lado inclinado del paralelogramo, sino la medida de una perpendicular que sale de la base. En los diagra-

mas, la altura del paralelogramo por lo general se indica con una línea punteada.

- El área de un paralelogramo es la misma que la de un rectángulo de igual base y altura.

- Una figura cuyas medidas carezcan de unidades específicas se mide sólo en unidades. Cada cuadro de una cuadrícula equivale a 1 unidad. El área de una figura en una cuadrícula se medirá en unidades cuadradas.

UN POQUITO MÁS

1. Después de proporcionar a los alumnos el área de una figura, pídales que encuentren todos los pares de base y altura posibles. Por ejemplo, para un rectángulo con un área de 100 pies^2, los pares de base y altura posibles son 10 pies × 10 pies y 2 pies × 50 pies.

2. Los alumnos pueden determinar las medidas faltantes. Proporcióneles problemas sin una de las tres variables de la fórmula del área. Indíqueles los pasos para determinar la respuesta. Por ejemplo:

Problema:

   Área = 25 pies^2

   base = 5 pies

   altura = ?

Respuesta:

$$A = b \times h$$

$$25 \text{ pies}^2 = 5 \text{ pies} \times h$$

$$25 \text{ pies}^2 \div 5 \text{ pies} = 5 \text{ pies} \times h \div 5 \text{ pies}$$

$$h = 5 \text{ pies}$$

RESPUESTAS

Actividad: Áreas de paralelogramos y rectángulos

Problema	Fórmula	Cálculo	Respuesta
1.	$A = b \times h$	$A = 5.5$ pies × 4 pies	22 pies cuadrados
2.	$A = b \times h$	$A = 456$ km × 589 km	$A = 268{,}584$ km^2
3.	$A = b \times h$	$A = 5$ unidades × 2 unidades	10 unidades cuadradas

ACTIVIDAD

Área de paralelogramos y rectángulos

En una figura plana, como un paralelogramo, la **base** es su medida horizontal. La **altura** es la distancia perpendicular a su base. La fórmula para encontrar el área de un rectángulo es área = base × altura ($A = b \times h$). El área del paralelogramo se determina con la misma fórmula, pero en este caso la altura es una línea perpendicular desde la base. En la figura, la altura se indica como una línea punteada, pero se puede usar cualquier línea vertical desde la base para determinar la altura.

Paralelogramo

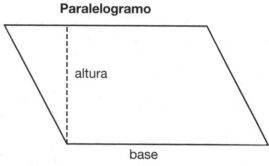

Ejercicios de práctica

Encuentra el área de las figuras A y B.

A. ¡Piensa!

- La figura A es un rectángulo.

- El término unidad se emplea para medir una figura que carece de unidades específicas, como centímetros o pulgadas. Cada cuadro de la cuadrícula es 1 unidad.

- La base del rectángulo es la distancia horizontal, y mide 6 unidades.

- La altura del rectángulo es la distancia vertical, o sea 5 unidades.

- La fórmula para encontrar el área del rectángulo es $A = b \times h = 6$ unidades × 5 unidades.

Respuesta: 30 unidades^2

B. ¡Piensa!

- La figura B es un paralelogramo.

- La base del paralelogramo es 6 unidades.

- La altura del paralelogramo indicada por la línea punteada es de 3 unidades.

- La fórmula para encontrar el área del paralelogramo es $A = b \times h = 6$ unidades × 3 unidades

Respuesta: 18 unidades^2

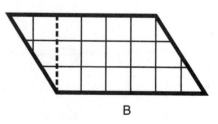

Ahora te toca a ti

Indica la fórmula y los cálculos que deberán hacerse para resolver los siguientes problemas.

1. La superficie del escritorio es un rectángulo. Encuentra el área del escritorio.

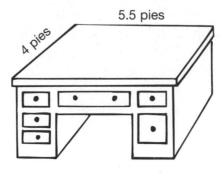

2. En Estados Unidos, el estado de Colorado casi es de forma rectangular. Determina su área aproximada.

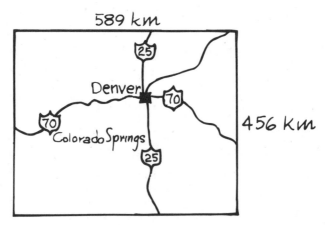

3. Encuentra el área del paralelogramo que forma el cuerpo del perro.

INVESTIGACIÓN

22

Reacomodo

OBJETIVO

Comparar el área de un paralelogramo con el área de un rectángulo.

Materiales

copia de la hoja "Paralelogramos"
tijeras
pegamento en barra
hoja de papel

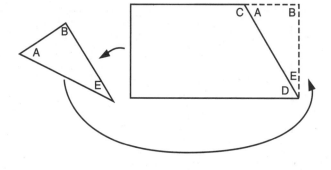

Procedimiento

1. En la tabla para "Área de paralelogramos", escribe el número de cuadros de la base (línea ED) y la altura (línea BE) del paralelogramo A de la hoja "Paralelogramos".

2. Usa el valor de la base y la altura determinados en el paso 1 y la siguiente ecuación para calcular el área del paralelogramo. Anótala en la tabla.

$$A_{(\text{paralelogramo})} = \text{base} \times \text{altura}$$

3. Recorta el paralelogramo A. Luego corta a lo largo de la línea punteada de la altura BE. Se formarán dos figuras, un triángulo y un trapecio.

4. Pega el trapecio en la hoja de papel.

5. Pega el triángulo en el papel de manera que la línea AE del triángulo coincida con la línea CD del trapecio. Observa que se formó un rectángulo.

6. Anota el número de cuadros de la base (línea ED) y la altura (línea BE) del nuevo rectángulo que formaste.

7. Calcula el área del rectángulo empleando el valor de la base y la altura del paso 6 y la siguiente ecuación. Anota el área en la tabla.

$$A_{(\text{rectángulo})} = \text{base} \times \text{altura}$$

8. Repite los pasos 1 a 7 para el paralelogramo B.

9. ¿Qué conclusión obtienes al comparar el área del paralelogramo con el área del rectángulo correspondiente formado con sus partes?

Resultados

La base y altura del paralelogramo son iguales a la base y altura del rectángulo que se forma. Un paralelogramo tiene la misma área que un rectángulo de igual base y altura.

ÁREA DE PARALELOGRAMOS						
Paralelogramo				Rectángulo		
Figura	Base	Altura	Área	Base	Altura	Área
A						
B						

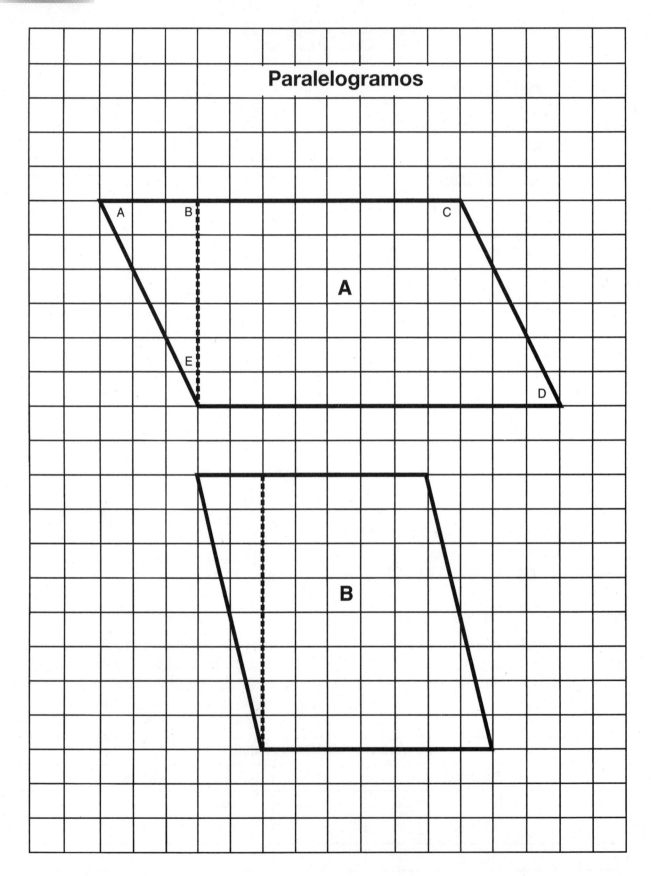

Paralelogramos

A

B

Área del triángulo
SUGERENCIAS PARA EL MAESTRO

Guías para evaluar el progreso

Al término del quinto grado, el alumno ya debe saber:
- Realizar mediciones para resolver problemas de área.
- Emplear modelos para resolver problemas.

Al término del sexto grado y en primero de secundaria, el alumno ya debe saber:
- Relacionar modelos con fórmulas para resolver problemas de área o superficie.

En este capítulo se espera que el alumno:
- Calcule el área de triángulos.
- Use modelos para determinar la fórmula del área del triángulo.

Prepare lo siguiente

Actividad: Sólo la mitad.
- Proporcione a cada alumno 2 tarjetas blancas de 12×7 cm.
- Cerciórese de que cada alumno cuente con 2 crayones de color diferente y cinta adhesiva.

Para presentar los conceptos matemáticos

1. Explique el nuevo término:

   lados adyacentes: lados que forman la base y la altura de un triángulo rectángulo. Son los lados que forman el ángulo recto del triángulo. También se les llama catetos.

2. Explore el nuevo término:

   - Un triángulo posee la mitad del área de un rectángulo de igual base y altura.

- El área de un triángulo rectángulo es igual a la mitad del producto de los lados adyacentes o catetos. En otras palabras, base y altura son lados adyacentes que forman un ángulo recto (de 90°).

- La fórmula para obtener el área de un triángulo es $A = \frac{1}{2} (b \times h)$.

- Para resolver esta ecuación, primero hay que encontrar el producto de las variables que están dentro del paréntesis y después multiplicar el producto por $\frac{1}{2}$. Multiplicar por $\frac{1}{2}$ es lo mismo que dividir entre 2.

- En un triángulo que tiene un ángulo recto, la altura es el segmento de recta perpendicular que va de la base a uno de los vértices.

UN POQUITO MÁS

La altura de algunos triángulos se determina por medio de un segmento de recta en el exterior de la figura. Prepare una hoja en la que dibujará triángulos cuya altura estará determinada por un segmento de recta en el exterior; pida a sus alumnos que calculen el área de cada uno de ellos.

RESPUESTAS

Actividad: Área del triángulo

1. 75 pulg^2
2. 16 m^2

23 ACTIVIDAD

Área del triánguo

El área de un triángulo se determina por medio de la ecuación $A = \frac{1}{2}$ (base $\times$ altura) o $A = \frac{1}{2}$ ($b \times h$). En un triángulo rectángulo, base y altura son los lados **adyacentes** (catetos) que forman el ángulo recto. En otros triángulos, cualquier lado puede designarse como la base, y la altura es un segmento de recta perpendicular a esa base que se conecta a uno de los vértices del triángulo (el punto donde se unen dos lados).

Ejercicios de práctica

Encuentra el área de los triángulos A y B.

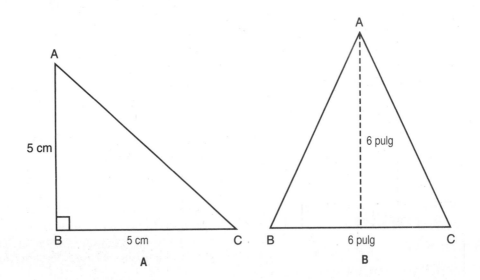

A. ¡Piensa!

- El triángulo A es un triángulo rectángulo, así que su base y altura son lados adyacentes que forman un ángulo recto.

- La base del triángulo, el segmento BC, mide 5 cm.

- La altura del triángulo, el segmento AB, mide 5 cm.

- Según la fórmula del área: $A = \frac{1}{2}$ ($b \times h$) $= \frac{1}{2}$ (5 cm $\times$ 5 cm)

- Multiplica primero los números y las unidades dentro del paréntesis, luego multiplica por $\frac{1}{2}$ (que es lo mismo que dividir entre dos).

- $A = \frac{1}{2}$ (5 cm $\times$ 5 cm)

    $= \frac{1}{2}$ (25 cm^2)

Respuesta: 12.5 cm^2

ACTIVIDAD (continuación)

B. ¡Piensa!

- El triángulo B no es un triángulo rectángulo, de modo que uno de sus lados, por lo general el de abajo u horizontal, es identificado al azar como la base, y la altura es una línea perpendicular que va de la base al vértice. Esto se indica con una línea punteada en el dibujo.

- La base del triángulo es de 6 pulgadas.

- La altura del triángulo es de 6 pulgadas.

- Usando la fórmula del área:

  $A = \frac{1}{2}(b \times h)$

  $= \frac{1}{2}(6 \text{ pulg} \times 6 \text{ pulg})$

  $= \frac{1}{2}(36 \text{ pulg}^2)$

Respuesta: 18 pulg^2

Ahora te toca a ti

1. Calcula el área de la señal si su base es de 10 pulgadas y su altura de 15 pulgadas.

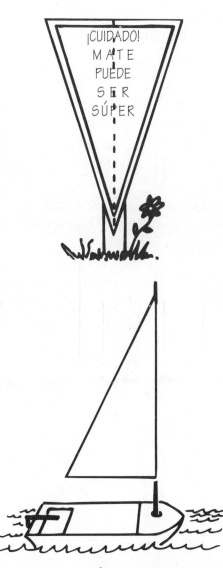

2. Encuentra el área de la vela si su base es de 4 m y su altura de 8 m. (*Nota*: la vela es un triángulo rectángulo).

23 INVESTIGACIÓN

Sólo la mitad

OBJETIVO

Demostrar la relación entre el área de un rectángulo y la de un triángulo.

Materiales

lápiz
regla
2 tarjetas blancas de 12 × 7 cm
2 crayones de colores diferentes
tijeras
cinta adhesiva transparente

Procedimiento

1. Usa lápiz y regla para dibujar una diagonal que atraviese una de las tarjetas. Se formarán dos triángulos.

2. Usa un crayón para colorear uno de los triángulos de la tarjeta.

3. Utiliza las tijeras para cortar por la línea diagonal que separa a ambos triángulos.

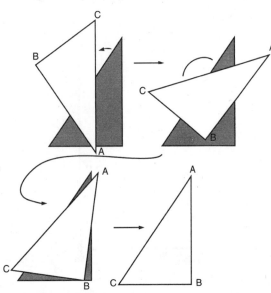

4. Coloca las dos piezas juntas para formar el rectángulo original. Luego gira el triángulo blanco 180° de manera que cubra al triángulo coloreado. Compara forma y tamaño de los dos triángulos empalmados.

5. Emplea regla y lápiz para hacer un punto en el centro de uno de los lados cortos de la segunda tarjeta.

6. Con regla y lápiz, dibuja dos líneas desde el punto hasta las esquinas en el lado opuesto de la tarjeta. Usa el otro crayón para colorear el triángulo central que se forma.

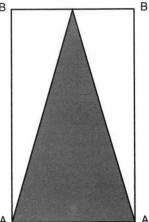

7. Recorta el triángulo coloreado.

8. Junta los lados AB de los dos triángulos restantes sin colorear y fíjalos con cinta adhesiva.

9. Coloca el triángulo que se forma con las piezas pegadas sobre el triángulo coloreado. Compara forma y tamaño de los dos triángulos empalmados.

Resultados

Se forman dos triángulos idénticos a partir de cada tarjeta.

¿Por qué?

La base y altura de cada triángulo obtenido es igual a la base y altura de la tarjeta rectangular a partir de la cual se formó. Dado que un triángulo tiene la mitad del área de un rectángulo de igual base y altura, con cada tarjeta se pueden formar dos triángulos de igual área.

Volumen

SUGERENCIAS PARA EL MAESTRO

Guías para evaluar el progreso

Al término del quinto grado, el alumno ya debe saber:
- Estimar y realizar mediciones de capacidad.
- Usar modelos para realizar comparaciones de capacidad.

Al término del sexto grado y en primero de secundaria, el alumno ya debe saber:
- Usar las unidades, herramientas y fórmulas adecuadas para medir y resolver problemas de capacidad.
- Emplear una tabla de datos.

En este capítulo se espera que el alumno:
- Mida el volumen sólido y el volumen líquido de una caja.

Prepare lo siguiente

Investigación: Llénalo.
- Proporcione a cada alumno una pieza de cartulina blanca de 30 × 30 cm.
- Use una caja de plástico para evitar derrames.
- Proporcione a cada alumno pegamento, marcadores y una taza para medir de 500 ml.

Para presentar los conceptos matemáticos

1. Explique los nuevos términos:

   altura: en una figura sólida, es la distancia perpendicular a la base.

   ancho: en una figura sólida, es la distancia de base menor.

   figura sólida: figura que tiene tres dimensiones y volumen.

   largo: en una figura sólida, es la distancia base más grande.

   poliedro: sólido cuyas caras son polígonos.

   tridimensional (3-D): que posee tres medidas: largo, ancho, altura; se dice de las figuras sólidas.

2. Explore los nuevos términos:

   - El volumen de un sólido es el número de unidades cúbicas que contiene. Una unidad cúbica es el producto de tres unidades, como cm × cm × cm = cm^3.

   - Los sólidos son figuras tridimensionales, lo cual significa que tienen largo, ancho y altura. En general, para una figura sólida la medida de la base de mayor longitud es su largo y la de menor longitud es su ancho. La altura es la medida vertical perpendicular a la base. Pero, dado que al rotar la figura cambiaría el orden de sus medidas, al calcular el volumen no importa qué lado se considera largo, ancho o altura. El cambio de posición de un sólido no modifica las tres medidas que se multiplican entre sí. De igual forma, el orden en que se multiplican los números no cambia el producto.

   - La fórmula para calcular el volumen de los poliedros empleando la medida del largo es: V = largo × ancho × altura, o $V = L \times A \times H$. Por ejemplo, una caja cuyo largo mide 5 cm, con un ancho de 9 cm y una altura de 10 cm, tendría un volumen de 5 cm × 9 cm × 10 cm = 450 cm^3.

   - Un ml representa el mismo volumen que 1 cm^3.

UN POQUITO MÁS

Los alumnos pueden usar la investigación "Llénalo" para probar que 1 cm^3 es igual a 1 ml.

RESPUESTAS

Actividad: Volumen sólido

1. 80 m^3.

2. Sistema métrico: 28,500 cm^3; sistema inglés: 1800 $pulg^3$.

3. El volumen del acuario es de 62,730 cm^3. El volumen de 25 jarras es 50,000 cm^3. No, 25 jarras de agua no llenarán el acuario.

ACTIVIDAD

Volumen sólido

Todo lo que es **tridimensional (3-D)** posee tres medidas: largo, ancho y altura; por ejemplo una caja. Una **figura sólida** tiene volumen y tres dimensiones que son: **largo**, que es igual a la medida de mayor longitud de la base; **ancho**, que es igual a la medida menor de la base, y **altura**, que es igual a la medida perpendicular a la base. El volumen es la cantidad de espacio que ocupa o encierra un objeto; es la capacidad de un recipiente. El volumen de un **poliedro**, que es un sólido cuyas caras son polígonos, se determina por la fórmula $V = $ largo $\times$ ancho $\times$ altura o $V = L \times A \times H$.

En general, la medida horizontal de una caja se denomina largo, la medida de profundidad es su ancho y la medida vertical su altura. Cuando se multiplican tres unidades iguales, el producto es una unidad cúbica, por lo que el volumen de un poliedro se mide en unidades cúbicas.

Ejercicios de práctica

Compara los volúmenes de las cajas A, B y C.

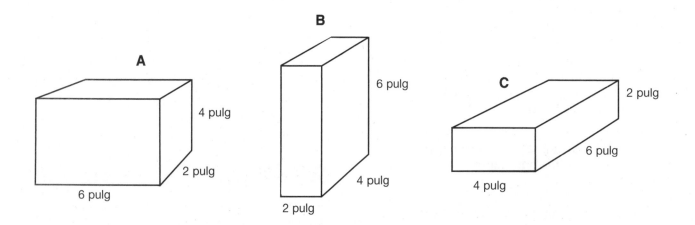

¡Piensa!

- Usa la fórmula $V = L \times A \times H$ para calcular el volumen de la caja A. Si multiplicas los números ($6 \times 2 \times 4$), obtienes 48. Cuando multiplicas tres unidades iguales, el producto es una unidad cúbica. Por lo tanto,

    $V = 6$ pulg $\times 2$ pulg $\times 4$ pulg $= 48$ pulg^3, que se lee 48 pulgadas cúbicas.

- Usa la misma fórmula para calcular el volumen de la caja B.

    $V = 2$ pulg $\times 4$ pulg $\times 6$ pulg $= 48$ pulg^3

- Usa la misma fórmula para calcular el volumen de la caja C.

    $V = 4$ pulg $\times 6$ pulg $\times 2$ pulg $= 48$ pulg^3

Respuesta: las tres cajas tienen el mismo volumen.

Nombre

Ahora te toca a ti

1. ¿Cuál es el volumen de la habitación? _____

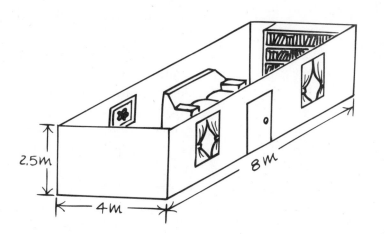

2. Calcula el volumen de la hielera en unidades del sistema métrico y del sistema inglés.

_____

_____

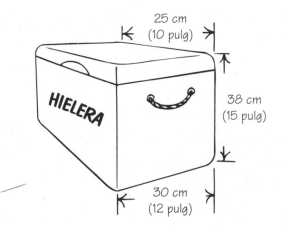

3. Si una jarra que contiene 2000 cm³ de agua se usa para llenar un acuario de 51 cm de ancho, 30 cm de largo y 41 cm de profundidad, ¿puedes llenarlo con 25 jarras de agua?

_____

¡Llénalo!

OBJETIVO

Comparar las unidades de volumen ml y cm³.

Materiales

pluma
regla métrica
pieza de cartulina blanca de 30 × 30 cm
marcador
pegamento
caja de plástico
taza para medir de 500 ml
agua corriente

Procedimiento

1. Usa pluma y regla para dividir la pieza de cartulina en cuadros de 1 cm.

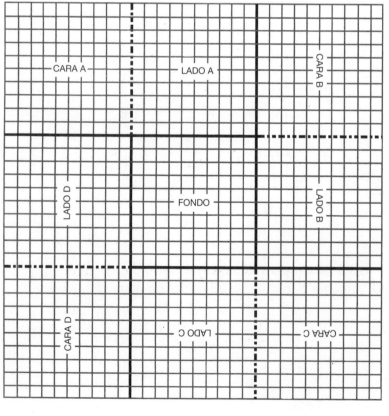

Leyendas: ▬▬▬ doblar; ▬ ▬ ▬ doblar y cortar

2. Con el marcador y la regla, remarca las líneas continuas y las punteadas más oscuras, como indica el diagrama.
3. Voltea la cartulina y dóblala a lo largo de una de las líneas continuas gruesas. Desdóblala y repite, hasta que hayas doblado las cuatro líneas continuas gruesas.
4. Corta a lo largo de las líneas punteadas.
5. Dobla los lados A y D hacia el centro, luego pega la cara A en la parte de atrás del lado A. Asegúrate de cubrir los bordes con pegamento.
6. Dobla el lado B hacia el centro y pega la cara B en la parte de atrás del lado B. Sigue doblando y pegando hasta formar la caja.
7. Deja secar el pegamento. Luego coloca la caja de cartón dentro de la caja de plástico.
8. Llena la taza con agua hasta la marca de 500 ml. Vacía despacio el agua en la caja de cartón.
9. Repite el paso 8.

Resultados

La caja se llena con mil ml de agua.

¿Por qué?

El volumen de una caja se mide multiplicando su largo por su ancho y por su altura. La caja mide 10 cm de cada lado, así es que su volumen es 1000 cm³ (10 cm × 10 cm × 10 cm). El volumen también se mide en litros o fracciones de litro. Un ml tiene el mismo volumen que 1 cm³. Esto significa que 1000 cm³ son lo mismo que 1000 ml. Dado que 1000 ml son lo mismo que 1 litro, se puede decir que el volumen de la caja es de 1 litro.

Reflexión y simetría lineal

SUGERENCIAS PARA EL MAESTRO

Guías para evaluar el progreso

Al término del quinto grado, el alumno ya debe saber:
- Demostrar la reflexión por medio de modelos.
- Usar la reflexión para demostrar que dos figuras son congruentes.
- Usar la reflexión para comprobar la simetría de una figura.

Al término del sexto grado y en primero de secundaria, el alumno ya debe saber:
- Describir la transformación que genera una figura a partir de otra cuando se usan dos figuras congruentes.

En este capítulo se espera que el alumno:
- Formule predicciones acerca de la reflexión y realice modelos para verificar dichas predicciones.
- Elabore un modelo que muestre ejes de simetría.

Prepare lo siguiente

Actividad: Reflexión y ejes de simetría.
- Elabore 7 cuadrados de papel de 7.5 cm (3 pulgadas) por lado para cada alumno.

Investigación: Cristal de nieve.
- Cerciórese de que cada alumno cuente con un compás para dibujar y un transportador.

Para presentar los conceptos matemáticos

1. Explique los nuevos términos:

   eje de simetría: línea a lo largo de la cual puede doblarse una figura para formar mitades congruentes. También se le llama línea de simetría.

   figura simétrica: figura que tiene uno o más ejes de simetría.

   reflexión: imagen en espejo de una figura que se forma al rotarla.

   rotar: movimiento para hacer girar o invertir una figura plana.

2. Explore los nuevos términos:
   - Un eje de simetría divide a una figura en dos partes idénticas que son imágenes en espejo una de la otra, lo cual significa que si se coloca un espejo en el eje, se podrá observar la figura completa. La imagen en espejo es la imagen reflejada o invertida, donde la derecha se convierte en la izquierda.
   - Si una figura se dobla a lo largo de su eje de simetría, las dos mitades serán exactamente iguales.
   - Una reflexión es una imagen invertida sobre una línea real o imaginaria.
   - La reflexión tiene igual forma y tamaño que la figura original, pero es una imagen en espejo: está invertida de derecha a izquierda.

UN POQUITO MÁS

Las letras C, D, E, I, O y X tienen un eje de simetría que va de izquierda a derecha. Estas letras pueden girarse sobre un eje de simetría horizontal tal como se indica, y seguir siendo iguales.

--- C-D-E-I-O-X --- eje de simetría

Pida a sus alumnos que determinen qué letras del alfabeto tienen un eje de simetría vertical, es decir, de arriba hacia abajo. Tales letras, como la A, pueden girar sobre un eje de simetría vertical y verse iguales.

A
H
M
O

eje de simetría

RESPUESTAS

Actividad: Reflexión y ejes de simetría

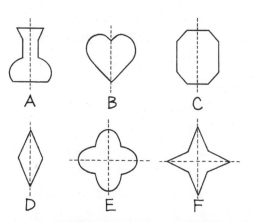

ACTIVIDAD

Reflexión y ejes de simetría

Una **reflexión** es la imagen en espejo de una figura a la que se ha hecho girar sobre un eje. **Rotar** significa hacer girar o invertir una figura plana. En el diagrama, la figura B es una reflexión de la figura A. La figura B es la imagen invertida de la figura A.

Una **figura simétrica**, como el árbol del diagrama, tiene uno o más ejes de simetría. Un eje de simetría es una línea que atraviesa una figura y que permite doblarla en mitades congruentes. En el dibujo, la línea AB no es un eje de simetría, pero la línea CD sí lo es.

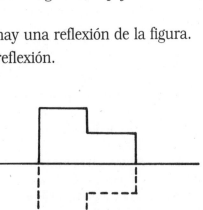

Ejercicios de práctica

1. En la figura, se dibujó la mitad de un polígono sobre el doblez que divide en dos mitades iguales una hoja de papel. ¿Cuál será la forma del polígono si lo recortas y desdoblas la hoja?

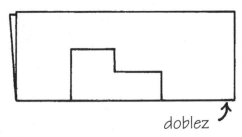

doblez ↗

¡Piensa!

- El doblez es un eje de simetría.
- La forma de la figura a cada lado del doblez es una reflexión o imagen en espejo de la otra, lo cual significa que la figura rotó o invirtió sobre un eje.
- Imagina que el doblez es un eje y que del otro lado de éste hay una reflexión de la figura.

Respuesta: la figura a continuación muestra cómo se vería la reflexión.

2. ¿Qué observas al comparar la figura que imaginaste con la figura que recortaste?

¡Piensa!

- Dobla una hoja de papel a la mitad.
- Dibuja medio polígono a lo largo del doblez.
- Recorta tu mitad de polígono por las dos hojas pero sin recortar la línea del doblez.
- Desdobla la pieza que recortaste.

reflejo

ACTIVIDAD (continuación)

- Compara tu recorte con el dibujo que imaginaste. ¿Concuerda la figura que imaginaste con la figura que recortaste?

Respuesta: la figura que imaginaste y el recorte son congruentes.

Ahora te toca a ti

1. Las figuras A a D se dibujaron en hojas dobladas a la mitad. Indica cómo se verá cada figura al desdoblar el papel. En la tabla "Datos de reflexión y ejes de simetría" dibuja los diagramas que imaginaste.

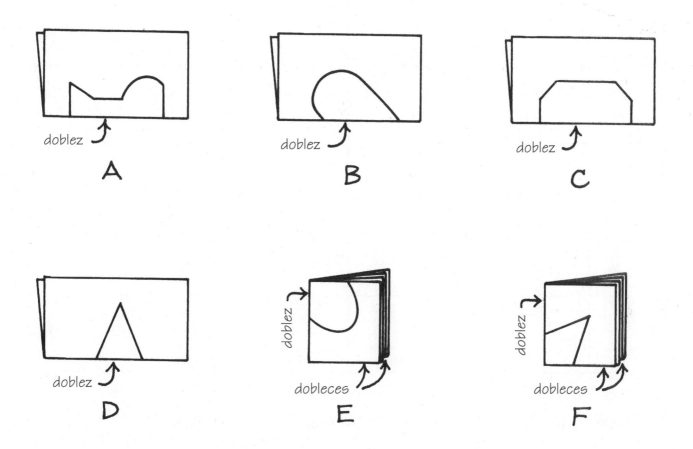

25

ACTIVIDAD (continuación)

DATOS DE REFLEXIÓN Y EJES DE SIMETRÍA			
Figura	Dibujo que imaginaste	Comparación del dibujo que imaginaste con el recorte	
		Congruente	Incongruente
A			
B			
C			
D			
E			
F			

2. Comprueba si son correctos los diagramas que imaginaste para las figuras A, B, C y D. Para ello, aplica el paso 2 de los ejercicios de práctica. En la tabla, anota si el recorte y tu predicción son congruentes.

3. Las figuras E y F se dibujaron en hojas que se doblaron a la mitad dos veces. Imagina la apariencia de cada figura al desdoblar el papel. En la tabla "Datos de reflexión y ejes de simetría" dibuja la figura que imaginaste.

4. Comprueba si son correctos los dibujos que imaginaste para las figuras E y F.

- Repite el paso 2 con una hoja de papel doblada a la mitad dos veces, una de arriba abajo y la otra de un lado a otro.

Cristal de nieve

OBJETIVO

Crear una figura con 6 lados y 12 ejes de simetría.

Materiales

compás para dibujar
hoja de papel
lápiz
transportador
regla
tijeras

Procedimiento

1. Usa el compás para dibujar en el papel un círculo de 20 cm (8 pulgadas) de diámetro.

2. Con el lápiz, haz un punto en el centro del círculo, que es donde la punta del compás hace un agujero diminuto.

3. Recorta el círculo.

4. Dobla el círculo de papel por la mitad.

5. Usa el transportador y el lápiz para marcar un ángulo de 60° y otro de 120° desde el punto central de la línea del doblez en el círculo doblado.

6. Con el lápiz y la regla, dibuja una línea punteada en cada ángulo, como se indica.

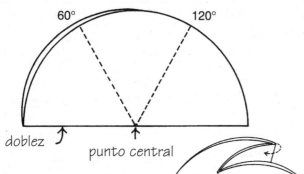

7. Dobla el papel hacia adelante en una de las líneas punteadas y hacia atrás en la otra.

8. Dobla a la mitad el papel en forma de cono colocando sus lados rectos juntos.

9. Corta un pedazo de la parte redonda, como se muestra. Luego corta dos cortes triangulares en cada lado y elimina la punta.

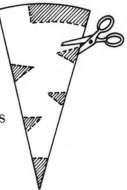

10. Desdobla el papel.

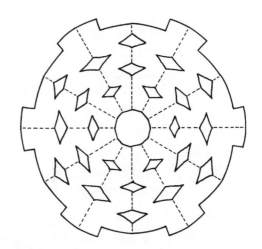

Resultados

Se obtiene un patrón de 6 lados de papel picado semejante a un cristal de nieve. Este cristal tiene 12 ejes de simetría.

¿Por qué?

El doblez múltiple produce 12 capas de papel con 12 bordes doblados. Los cortes triangulares en torno al borde redondo y a través de los bordes doblados producen un patrón de 6 lados, y cada uno es un eje de simetría. Las líneas a la mitad de cada lado también son ejes de simetría. Por lo tanto, el modelo tiene 12 ejes de simetría.

Simetría rotacional
SUGERENCIAS PARA EL MAESTRO

Guías para evaluar el progreso

Al término del quinto grado, el alumno ya debe saber:
- Demostrar la rotación por medio de modelos.
- Comprobar si una figura posee simetría rotacional.

Al término del sexto grado y en primero de secundaria, el alumno ya debe saber:
- Comunicar ideas matemáticas por medio de modelos matemáticos.
- Elaborar conjeturas a partir de ciertas regularidades.

En este capítulo se espera que el alumno:
- Determine si las figuras tienen simetría rotacional y, si es así, la fracción de giro que realiza la figura para ocupar el mismo espacio.
- Use un modelo para determinar la simetría rotacional de una figura.

Prepare lo siguiente

Investigación: Gira que gira.
- Con cartón corrugado, elabore y recorte un cuadrado de 15 cm (6 pulgadas) de lado para cada alumno.
- Aunque en la lista de materiales se pide un crayón rojo y uno azul, se puede trabajar con cualquiera de los dos.

Para presentar los conceptos matemáticos

1. Explique los nuevos términos:

    en el sentido de las manecillas del reloj: movimiento giratorio que se realiza en la dirección en la que avanzan las manecillas de un reloj visto desde el frente o desde arriba.

    en sentido contrario a las manecillas del reloj: movimiento giratorio que se realiza en la dirección opuesta a la que avanzan las manecillas de un reloj vistas desde el frente o desde arriba.

    rotación: transformación que hace girar a una figura en torno a un punto.

    simetría puntual: característica de una figura que no cambia después de rotarla 180°.

    simetría rotacional: característica de una figura que no cambia después de una rotación de menos de 360°.

    transformación: cambio o movimiento en la posición o tamaño de una figura.

2. Explore los nuevos términos:

    - La rotación es la transformación por la cual una figura gira en torno a un punto. Una vuelta completa es una rotación de 360°, un cuarto de vuelta es un giro de 90°, media vuelta es una rotación de 180° y tres cuartos de vuelta es una rotación de 270°.

    - Una figura posee simetría rotacional si al girar menos de 360° vuelve a ocupar el mismo espacio; es decir, no cambia.

    - Una figura tiene simetría puntual si al rotar 180° vuelve a ocupar el mismo espacio; es decir, no cambia.

    - La forma de una figura no cambia al rotar.

UN POQUITO MÁS

Para demostrar la simetría rotacional puede usar diagramas de objetos con partes separadas por ángulos iguales. Para ello, coloque dos recortes de la misma figura superpuestos. Rote la figura de encima y determine si la figura gira sobre sí misma.

RESPUESTAS

Actividad: Simetría rotacional

DATOS DE SIMETRÍA ROTACIONAL		
Pregunta	Figura	Simetría rotacional
1.	A	$^1/_2$ vuelta
	B	$^1/_4$, $^1/_2$ y $^3/_4$ de vuelta
	C	$^1/_2$ vuelta
	D	no tiene
2.	E	360°
	F	90°
	G	360°

ACTIVIDAD

Simetría rotacional

Una **transformación** es un cambio o movimiento en la posición o tamaño de una figura. La **rotación** es una transformación que hace girar a una figura en torno a un punto. Una figura posee **simetría puntual** si no cambia después de rotar 180°. Una figura posee **simetría rotacional** si no cambia después de una rotación menor de 360°. Cuando se observa una figura desde el frente o desde arriba, si gira en la misma dirección que las manecillas del reloj, se dice que gira en el sentido de las manecillas del reloj. Si gira en el sentido opuesto a ellas cuando se le observa desde el frente o desde arriba, se dice que gira en contra de las manecillas del reloj.

Ejercicios de práctica

1. Determina si la figura tiene simetría rotacional. Si es así, señala la fracción de rotación en el sentido de las manecillas del reloj que hace ocupar a la figura el mismo espacio.

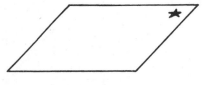

¡Piensa!

* La figura es un paralelogramo.

* Imagina que el paralelogramo gira sobre un punto que lo atraviesa por el centro. *Nota*: la estrella se añadió para que puedas determinar el grado de rotación de la figura.

* El paralelogramo se empalma sobre sí mismo con sólo media vuelta.

* Media vuelta es igual a 180°.

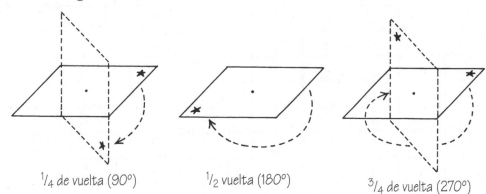

$^1/_4$ de vuelta (90°) $^1/_2$ vuelta (180°) $^3/_4$ de vuelta (270°)

Respuesta: la figura tiene simetría rotacional de media vuelta (180°).

2. ¿Tiene simetría rotacional la figura del cono de helado? ¿Cuál es la menor rotación que permitirá al cono de helado empalmar sobre sí mismo?

¡Piensa!

* El cono de helado debe dar una vuelta completa antes de empalmarse sobre sí mismo.

Respuesta: la figura del cono de helado no posee simetría rotacional. Tiene que rotar (girar) 360° para empalmarse sobre sí mismo.

Ahora te toca a ti

1. Determina si alguna de las figuras, A, B, C o D, tiene simetría rotacional. En caso afirmativo, indica la fracción de rotación en el sentido de las manecillas del reloj que vuelve a las figuras a su forma original y anótala en la tabla "Datos de simetría rotacional".

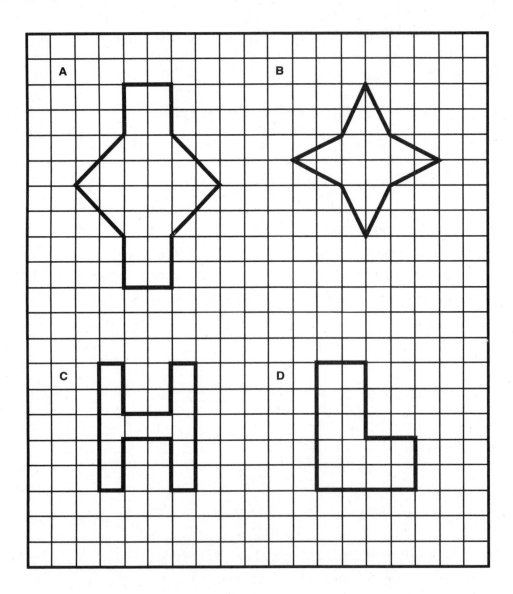

2. ¿Cuál es la menor rotación que permitirá a las figuras E, F y G empalmarse sobre sí mismas? Anota las respuestas en grados en la tabla.

ACTIVIDAD (continuación)

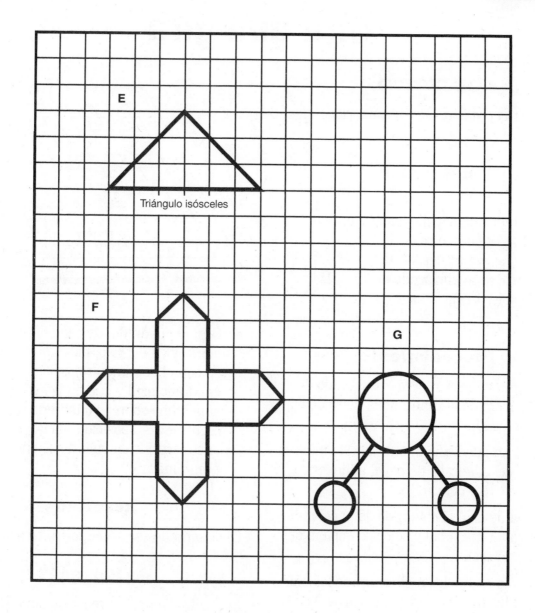

Triángulo isósceles

DATOS DE SIMETRÍA ROTACIONAL		
Pregunta	**Figura**	**Simetría rotacional**
1.	A	
	B	
	C	
	D	
2.	E	
	F	
	G	

Gira que gira

OBJETIVO

Determinar el grado de simetría rotacional de un cuadrado.

Materiales

tijeras
2 cuadrados de papel milimétrico: uno de
    12 × 12 cm y otro de 4 × 4 cm
cinta adhesiva transparente
pieza de cartón corrugado de 15 × 15 cm
2 crayones: 1 rojo, 1 azul
tachuela

Procedimiento

1. Con cinta adhesiva, pega el cuadrado de 12 × 12 cm en el centro de la pieza de cartón corrugado.

2. Dibuja un cuadrado rojo de 4 × 4 cm en el centro del cuadrado de papel milimétrico que pegaste en el cartón.

3. Colorea de azul el cuadrado de papel milimétrico de 4 × 4 cm y colócalo encima del cuadrado rojo.

4. Inserta la tachuela en el centro de los cuadrados hasta que atraviese el cartón.

5. Con el crayón rojo, pinta un punto en la esquina superior derecha del cuadrado azul.

6. Gira el cuadrado azul en el sentido de las manecillas del reloj hasta que se superponga con el cuadrado rojo. Sigue girando el cuadrado azul y cuenta las veces que se superpone sobre el cuadrado rojo antes de regresar a su posición inicial. (No cuentes la superposición cuando se encuentra en el punto inicial).

Resultados

Los cuadrados se superponen tres veces.

¿Por qué?

El cuadrado azul, al rotar, se superpone sobre el cuadrado rojo a un cuarto, media y tres cuartos de vuelta. Por lo tanto, el cuadrado tiene simetría rotacional de 90°, 180° y 270°.

Cuerpos sólidos
SUGERENCIAS PARA EL MAESTRO

Guías para evaluar el progreso

Al término del quinto grado, el alumno ya debe saber:
- Describir figuras y cuerpos sólidos en términos de vértices, aristas y caras.

Al término del sexto grado y en primero de secundaria, el alumno ya debe saber:
- Comunicar ideas matemáticas por medio de modelos matemáticos.

En este capítulo se espera que el alumno:
- Identifique cuerpos poliédricos y no poliédricos.
- Aprenda a emplear una plantilla para construir el modelo de un cuerpo sólido.
- Construya un modelo de pirámide rectangular.

Prepare lo siguiente

Actividad 2: Plantillas.
- Proporcione a los alumnos tijeras y cinta adhesiva transparente para que construyan las figuras.

Para presentar los conceptos matemáticos

1. Explique los nuevos términos:

   arista: segmento de recta en el que se unen dos caras de un cuerpo sólido.

   base: parte inferior o fondo de un cuerpo sólido; las caras paralelas de un prisma o un cilindro.

   cara: superficie plana de un cuerpo sólido.

   cilindro: cuerpo sólido que tiene lados curvos y dos bases circulares congruentes.

   cono: cuerpo sólido con lados curvos y base circular.

   cubo: prisma rectangular cuyas caras son seis cuadrados congruentes; prisma cuadrado.

   esfera: cuerpo sólido sin base plana, cuyos puntos se encuentran todos en su superficie curva y a igual distancia de un centro.

   pirámide: cuerpo sólido cuya base es un polígono y sus caras son triángulos con un vértice común.

   plantilla: diseño plano que puede doblarse para formar un cuerpo sólido.

   prisma: cuerpo sólido que tiene caras poligonales y dos bases paralelas congruentes.

   prisma rectangular: cuerpo sólido cuyas seis caras son rectangulares.

   vértice: punto donde coinciden dos o más aristas de un cuerpo sólido.

2. Explore los nuevos términos:

   - Un cuerpo sólido ocupa espacio.
   - El cono tiene la forma de un barquillo de helado, sin el helado.
   - Un cilindro tiene forma de lata.
   - Una esfera tiene forma de pelota.
   - Los polígonos están formados por segmentos de línea. Así es que los poliedros, que son cuerpos sólidos con caras poligonales, también están formados por segmentos de línea.
   - Una caja es un prisma rectangular.
   - El lado plano sobre el cual se apoya un cuerpo sólido es su base. Ésta puede ser el fondo de un cono o cilindro, por ejemplo. Observe que los dos lados paralelos de un prisma son sus bases. La esfera carece de base.

UN POQUITO MÁS

1. Los alumnos pueden trabajar plantillas para construir otros cuerpos sólidos, como un prisma o una pirámide rectangulares.

2. Los alumnos pueden usar popotes para construir otros cuerpos sólidos, como un cubo, un prisma rectangular, una pirámide triangular y una pirámide rectangular.

RESPUESTAS

Actividad 1: Cuerpos sólidos
1. 1 (E)
2. 1 (B)
3. 2 (B y E)

4. 4 (B, C, D y E)

5. 3 (B, C y E)

6. E

7. B

8. Todas tienen lados curvos.

9. Las dos tienen lados curvos y por lo menos una base.

10. La figura C tiene un vértice y la D dos bases congruentes.

Actividad 2: Plantillas

1. **a.** pirámide triangular

   b. cubo

ACTIVIDAD 1

Cuerpos sólidos

Un **cuerpo sólido** es una figura tridimensional. Las figuras tridimensionales (3-D) tienen tres medidas: largo, ancho y altura. El fondo de un cuerpo sólido es su **base**. La superficie plana de un cuerpo sólido se llama **cara**. El segmento de recta en el que se unen dos caras de un sólido se llama **arista**. El punto donde se encuentran dos o más aristas de un cuerpo sólido se llama **vértice**. Los cuerpos sólidos son: **cono** (figura con lados curvos y una base circular), **cubo** (prisma rectangular cuyas caras son seis cuadrados congruentes), **cilindro** (figura con lados curvos y dos bases circulares congruentes), **poliedro** (figura cuyas caras son polígonos), **prisma** (figura con caras poligonales y dos bases paralelas congruentes), **pirámide** (figura cuya base es un polígono y cuyas caras son triángulos con un vértice común), **prisma rectangular** (figura cuyas seis caras son rectangulares) y **esfera** (figura sin base plana y con todos los puntos de su superficie curva equidistantes de su centro).

Ejercicios de práctica

Identifica los cuerpos sólidos A, B, C, D y E del dibujo.

A. ¡Piensa!

- La figura A, el sombrero, tiene lados curvos y una base circular.

- Un cuerpo sólido con lados curvos y una base circular es un cono.

Respuesta: la figura A es un cono.

B. ¡Piensa!

- La figura B, la pelota, es curva en todos sus lados, no tiene bases planas y todos los puntos de su superficie plana equidistan de su centro.

- Un cuerpo sólido sin bases planas y cuyos puntos equidistan de su centro se llama esfera.

Respuesta: la figura B es una esfera.

C. ¡Piensa!

- La figura C es una pirámide con base rectangular.

- Un cuerpo sólido piramidal con base rectangular se llama pirámide rectangular.

Respuesta: la figura C es una pirámide rectangular.

ACTIVIDAD 1 (continuación)

D. ¡Piensa!

- La figura D, una caja de galletas, tiene seis caras y todas son rectangulares.
- Un cuerpo con seis caras rectangulares es un prisma rectangular.

Respuesta: la figura D es un prisma rectangular.

E. ¡Piensa!

- La figura E, una lata de sopa, tiene lados curvos y dos bases circulares congruentes.
- Un cuerpo sólido con lados curvos y dos bases circulares congruentes es un cilindro.

Respuesta: la figura E es un cilindro.

Ahora te toca a ti

Examina las figuras A, B, C, D y E que se muestran enseguida y contesta lo que se te pide.

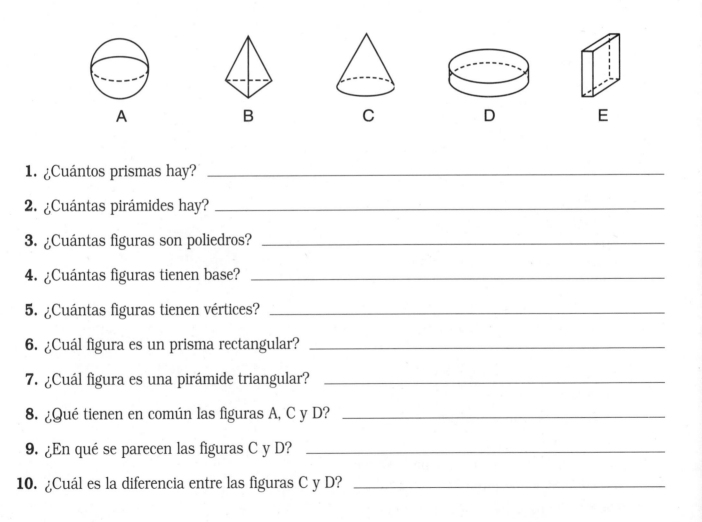

1. ¿Cuántos prismas hay? _____

2. ¿Cuántas pirámides hay? _____

3. ¿Cuántas figuras son poliedros? _____

4. ¿Cuántas figuras tienen base? _____

5. ¿Cuántas figuras tienen vértices? _____

6. ¿Cuál figura es un prisma rectangular? _____

7. ¿Cuál figura es una pirámide triangular? _____

8. ¿Qué tienen en común las figuras A, C y D? _____

9. ¿En qué se parecen las figuras C y D? _____

10. ¿Cuál es la diferencia entre las figuras C y D? _____

Nombre

ACTIVIDAD 2

Plantillas

Una **plantilla** es un diseño plano (bidimensional) que puede doblarse para formar un cuerpo sólido (tridimensional).

Ejercicios de práctica

1. Los cuerpos sólidos A, B y C de la siguiente ilustración se pueden construir doblando las plantillas A, B y C de la hoja de trabajo "Plantillas 1". Imagina cuál plantilla corresponde a cada figura.

 A   B   C

a. ¡Piensa!

• La figura A es un cubo con seis caras cuadradas.

• ¿Qué figura de la hoja de trabajo "Plantillas 1" tiene seis caras cuadradas?

Respuesta: la plantilla B concuerda con la figura A.

b. ¡Piensa!

• La figura B es una pirámide con cuatro caras triangulares y una base cuadrada.

• ¿Qué figura de la hoja de trabajo "Plantillas 1" posee cuatro caras triangulares y una base cuadrada?

Respuesta: la plantilla C concuerda con la figura B

c. ¡Piensa!

• La figura C tiene tres caras rectangulares y dos bases triangulares congruentes.

• ¿Qué figura de la hoja de trabajo "Plantillas 1" posee tres caras rectangulares y dos bases triangulares?

Respuesta: la plantilla A concuerda con la figura C.

2. Para verificar tus respuestas para el problema 1, recorta las plantillas y dobla cada figura por las líneas punteadas. Realiza todos los dobleces en la misma dirección. Dobla las pestañas sobre la cara correspondiente, es decir, la pestaña A sobre la cara A, la B sobre la B, etcétera. Usa cinta adhesiva para fijar las pestañas sobre las caras.

Ahora te toca a ti

Usa la hoja de trabajo "Plantillas 2" para responder lo que se te pide.

1. Examina las dos plantillas y señala qué cuerpos sólidos crees que se formarán al doblarlas.

a. _____   b. _____

2. Arma los modelos para verificar tus respuestas.

ACTIVIDAD 2 (continuación)

Plantillas 1

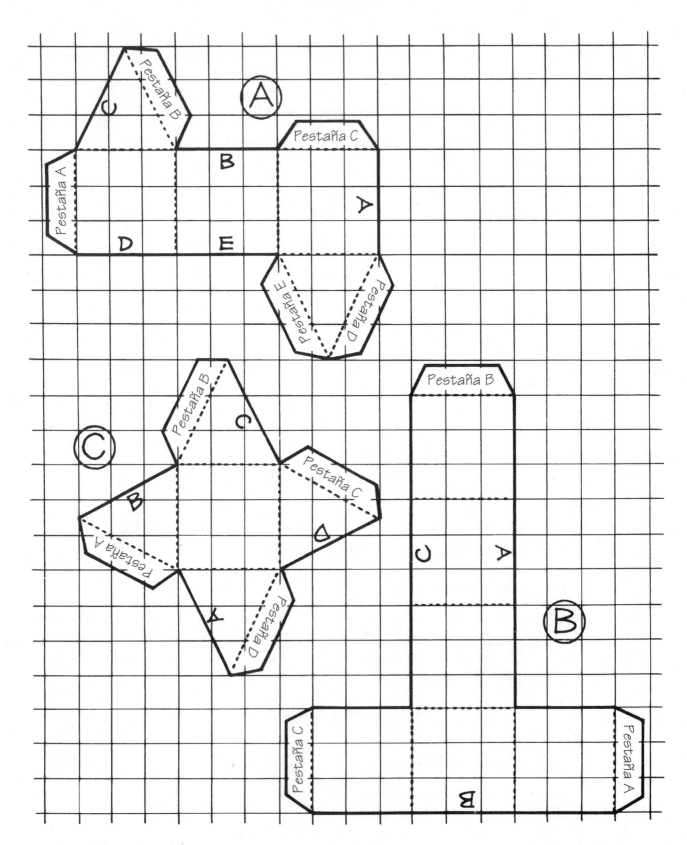

ACTIVIDAD 2 (continuación)

Plantillas 2

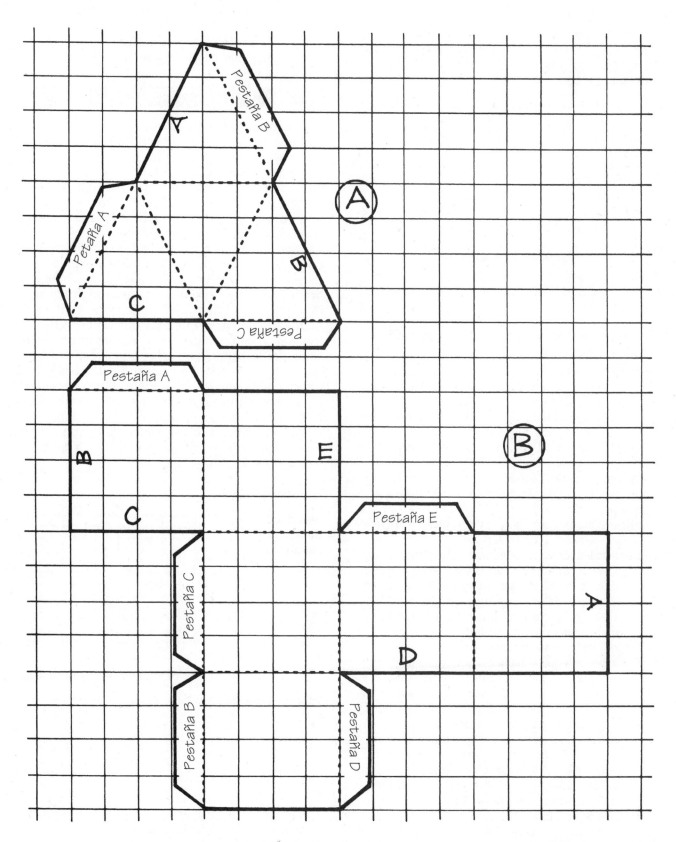

Sistemas de coordenadas
SUGERENCIAS PARA EL MAESTRO

Guías para evaluar el progreso

Al término del quinto grado, el alumno ya debe saber:
- Establecer la relación entre dos conjuntos de datos relacionados como pares ordenados de una tabla.
- Explicar y registrar observaciones por medio de gráficas.

Al término del sexto grado y en primero de secundaria, el alumno ya debe saber:
- Preparar representaciones gráficas de datos.

En este capítulo se espera que el alumno:
- Use un sistema de coordenadas para localizar puntos e identificar su ubicación.
- Determine el valor de los pares ordenados y que los grafique en un sistema de coordenadas.

Prepare lo siguiente

Actividad: Sistemas de coordenadas.
- Cerciórese de que cada alumno cuente con una calculadora.

Para presentar los conceptos matemáticos

1. Explique los nuevos términos:
   coordenadas: cada una de las dos partes de un par ordenado que permiten graficar puntos en un sistema de coordenadas.
   eje *x*: línea horizontal de un sistema de coordenadas o de una gráfica.
   eje *y*: línea vertical de un sistema de coordenadas o de una gráfica.
   escala: intervalos marcados en el eje *x* o en el eje *y*.
   intervalo: cantidad fija entre los números de una escala.
   origen: punto donde el eje *x* y el eje *y* de una gráfica se intersecan en ángulo recto.
   pares ordenados: par de números que identifica la posición de un punto en un sistema de coordenadas.
   sistema de coordenadas: sistema de líneas horizontales y verticales que se intersecan y que se emplea para localizar puntos. También se le conoce como plano cartesiano.

2. Explore los nuevos términos:
   - La primera coordenada del par ordenado (2,5) indica un movimiento de dos espacios sobre el eje *x* a partir del origen. En este capítulo sólo se usarán números positivos, por lo tanto, el movimiento siempre se hará hacia la derecha.
   - La segunda coordenada del par ordenado (2,5) indica un movimiento de cinco espacios sobre el eje *y* partiendo del origen. De nuevo, en este capítulo, como sólo se usan coordenadas positivas, el movimiento es hacia arriba.
   - Cuando el 0 forma parte de un par ordenado, indica que no hay movimiento. Para (0,3), no

habrá movimiento sobre el eje *x*, pero es necesario avanzar tres unidades sobre el eje *y*. Para (3,0), se desplazan tres unidades sobre el eje *x*, pero no hay movimiento sobre el eje *y*.

UN POQUITO MÁS

Los *cartógrafos* (personas que hacen mapas) usan las líneas de una cuadrícula en sus mapas y globos como ayuda para localizar los lugares de la Tierra. Las *líneas de latitud*, llamadas paralelos, circundan el globo en dirección este-oeste y se miden al norte y sur del ecuador (línea de latitud en torno al centro de la Tierra); en un mapa plano, son las líneas horizontales. Las *líneas de longitud*, llamadas meridianos, circundan al globo en dirección norte-sur, y pasan por el polo norte y el polo sur (puntos en los extremos de la Tierra) y se miden en grados al este y oeste de una línea longitudinal determinada en forma arbitraria como 0°, llamada *meridiano primario*, que pasa por Greenwich, Inglaterra; en un mapa plano, son las líneas verticales. Por lo general, en las coordenadas de los mapas primero aparece la latitud y después la longitud. Los alumnos podrán identificar coordenadas a partir de puntos o a la inversa. Si lo desea, puede asignarles la tarea de identificar una ciudad o región específica. Por ejemplo, pídales que identifiquen el país que se localiza en las coordenadas (40°N, 5°O). El país es España.

RESPUESTAS

Actividad: Sistemas de coordenadas

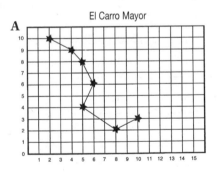

El Carro Mayor

COORDENADAS

Punto	Par ordenado (*x*, *y*)	Punto	Par ordenado (*x*, *y*)
A	(6, 7)	F	(3, 4)
B	(2, 11)	G	(3, 3)
C	(2, 8)	H	(4, 1)
D	(3, 6)	I	(5, 1)
E	(4, 5)	J	(6, 3)

- Es la figura de una mariposa (puede añadirle antenas para completar el dibujo).

ACTIVIDAD

Sistemas de coordenadas

Un **sistema de coordenadas** es un conjunto de líneas horizontales y verticales (una cuadrícula) que se emplea para localizar puntos. En un sistema de coordenadas, el **origen** es el punto donde se intersecan en ángulo recto el **eje x** (recta numérica horizontal) y el **eje y** (recta numérica vertical). En un sistema de coordenadas, el origen es el punto 0. Los intervalos marcados en los ejes x y y forman una *escala*. Un **intervalo** es la cantidad fija que separa los números de la escala. Un **par ordenado** es un par de números que permite identificar la posición de un punto en un sistema de coordenadas. Las **coordenadas** son los elementos que forman un par ordenado y sirven para graficar puntos. La primera coordenada del par señala la distancia que se debe avanzar en el eje x partiendo del origen, y la segunda coordenada indica el espacio que se debe recorrer en el eje y partiendo del origen.

Ejercicios de práctica

Analiza el sistema de coordenadas y contesta lo que se te pide:

1. ¿Cuáles son las coordenadas del punto A?

2. ¿Qué punto indica el par ordenado (2, 3)?

1. ¡Piensa!

- Localiza el punto A en el sistema de coordenadas; después sigue una línea vertical hacia abajo, en dirección a la escala del eje x. Lee y anota el número en la escala. Llegarás al número 1, que es la primera coordenada del par ordenado del punto A.

- Regresa al punto A y sigue la línea horizontal hacia la escala del eje y. Lee y anota el número de la escala. El número es 5, que es la segunda coordenada del par ordenado del punto A.

Respuesta: (1,5)

2. ¡Piensa!

- La primera coordenada del punto es 2, que indica la distancia hacia la derecha del origen en que se encuentra el punto. Coloca tu dedo en el origen (punto 0) y muévelo 2 espacios hacia la derecha sobre el eje x.

- La segunda coordenada para el punto es 3, que indica la distancia que se deberá avanzar hacia arriba hasta llegar al punto partiendo del origen. Con tu dedo en el 2 del eje x, recorre 3 espacios. ¿Cuál letra corresponde al punto?

Respuesta: se trata del punto B

28

ACTIVIDAD (continuación)

Ahora te toca a ti

A **1.** Dibuja un punto en el sistema de coordenadas del "Carro Mayor" para cada uno de estos pares ordenados.

Punto	Par ordenado	Punto	Par ordenado
A	(2, 10)	E	(5, 4)
B	(4, 9)	F	(8, 2)
C	(5, 8)	G	(10, 3)
D	(6, 6)		

2. Dibuja una estrella en cada uno de los siete puntos de la cuadrícula. Conecta con una línea los puntos del A al G. Observa que las siete estrellas forman lo que parece ser el recipiente y el mango de un cazo. En el hemisferio norte encontrarás un conjunto de siete estrellas con las mismas posiciones que en la cuadrícula. Juntas forman "el Carro Mayor" y son parte de un grupo más grande de estrellas que se conoce como Osa Mayor.

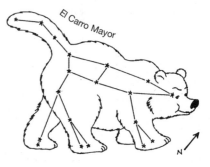

El Carro Mayor

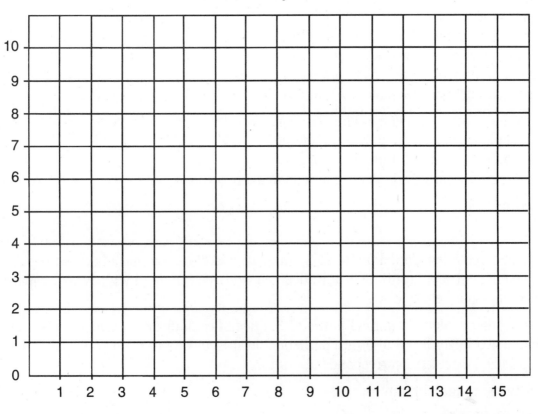

ACTIVIDAD (continuación)

B **1.** Usa una calculadora para resolver cada una de las operaciones de la tabla "Coordenadas".

2. Usa los números de las respuestas para formar pares ordenados (*x, y*). Anota los pares en la tabla "Coordenadas". En el ejemplo para el punto A, el par ordenado es (6, 7).

3. Dibuja un punto en la hoja del sistema de coordenadas para cada par de números para los puntos A a J.

4. Con lápiz y regla, dibuja líneas rectas que conecten los puntos A a J en orden.

5. Dibuja un punto en la cuadrícula para cada par ordenado de los puntos K a X.

6. Con lápiz y regla, dibuja líneas que conecten ordenadamente los puntos K a X. Luego, dibuja líneas para conectar los puntos A con K y J con X.

7. ¿Qué figura se formó? _____

8. Añade todas las líneas que se requieran para completar la figura.

Punto	Par ordenado (*x, y*)	Punto	Par ordenado (*x, y*)
K	(6, 8)	R	(10, 4)
L	(7, 8)	S	(10, 3)
M	(7, 7)	T	(9, 1)
N	(11, 11)	U	(8, 1)
O	(11, 8)	V	(7, 3)
P	(10, 6)	W	(7, 2)
Q	(9, 5)	X	(6, 2)

COORDENADAS			
Punto	Coordenada para el eje *x*, ↔	Coordenada para eje *y*, ↕	Par ordenado (*x, y*)
A	3918 ÷ 653 = 6	985 – 978 = 7	(6, 7)
B	23 – 21 =	6248 ÷ 568 =	
C	98 ÷ 49 =	357 – 349 =	
D	2001 ÷ 667 =	85 – 79 =	
E	23 + 45 + 21 – 85 =	36 – 23 + 56 – 64 =	
F	148 – 402 + 257 =	75 + 53 – 124 =	
G	7371 ÷ 567 – 10 =	14 × 5 – 67 =	
H	(1072 + 400) ÷ 368 =	99 + 347 – 445 =	
I	234 + 86 – 314 =	321 + 78 – 43 – 355 =	
J	652 – 350 – 296 =	120 ÷ 60 + 1 =	

28 ACTIVIDAD (continuación)

Sistema de coordenadas

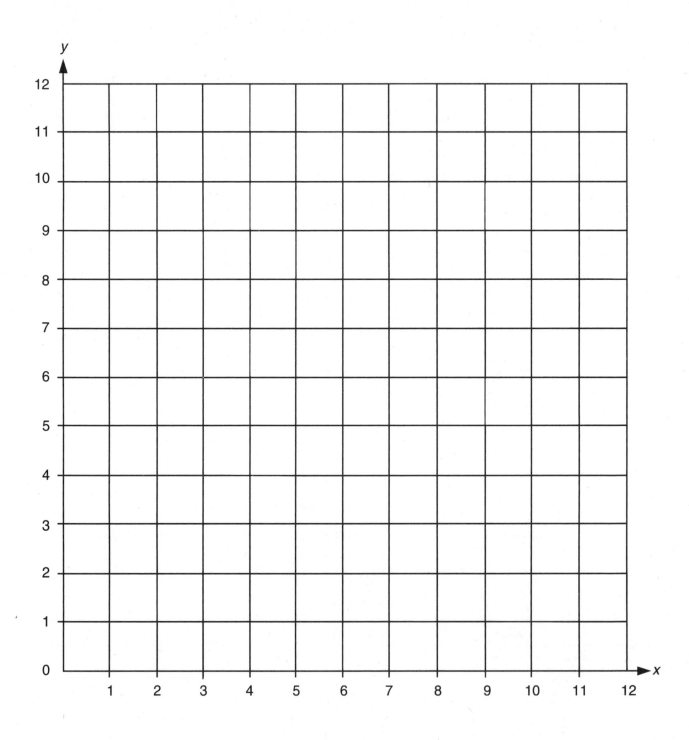

Análisis de datos y probabilidad

El **análisis de datos** es el método sistemático que se emplea para separar una información (datos) en sus partes individuales, examinar dichas partes y organizarlas con el fin de resolver un problema.

La **probabilidad** es la medida de qué tan posible es que algo suceda; es la comparación del número de formas en que un evento particular puede ocurrir con respecto al número de resultados posibles. La probabilidad se puede expresar por medio de razones y porcentajes.

Guías para evaluar el progreso

Al término del quinto grado, el alumno ya debe saber:
- Usar representaciones para hacer generalizaciones acerca de las combinaciones de objetos y de la determinación de todas las combinaciones posibles.
- Usar la multiplicación para resolver problemas con números enteros.

Al término del sexto grado y en primero de secundaria, el alumno ya debe saber:
- Resolver problemas por medio de la organización e interpretación de datos.
- Construir diagramas de árbol.
- Identificar y aplicar las matemáticas en experiencias cotidianas.

En este capítulo se espera que el alumno:
- Use diagramas de árbol y el principio de conteo para encontrar todos los resultados posibles para un conjunto de opciones.

Para presentar los conceptos matemáticos

1. Explique los nuevos términos:

    conglomerados: grupos aislados de puntos en una gráfica lineal.

    diagrama de árbol: diagrama con ramificaciones que indica todos los posibles resultados de una situación.

    diagrama lineal: gráfica que presenta los datos a lo largo de una recta numérica. También se le llama gráfica de línea.

    discontinuidades, o gaps: grandes espacios entre los puntos de un diagrama lineal.

    gráfica: dibujo que representa una información de manera organizada, indicando las relaciones entre los conjuntos numéricos.

    principio de conteo: método para encontrar el número total de posibles resultados a partir de dos o más posibilidades por medio de la multiplicación del total de éstas.

    valores atípicos: también llamados outliers; son los puntos de una gráfica lineal cuyo valor es significativamente mayor o menor que el de los otros.

2. Explore los nuevos términos:

    - Como su nombre lo indica, un diagrama de árbol semeja las ramas de un árbol. La estructura ramificada muestra todos los posibles resultados de una situación dada.

    - El diagrama de árbol se puede emplear para enumerar los resultados de una combinación de opciones.

    - Cuando se analiza la probabilidad de obtener más de un resultado, se puede emplear el principio de conteo para determinar el número de posibles resultados. Por ejemplo, si una tienda vende sombreros en dos colores y tres tallas, hay, en conjunto, $2 \times 3 = 6$ posibles combinaciones de sombreros.

    - El principio de conteo se puede emplear para dos o más objetos o actividades. Por ejemplo, si se lanzan cuatro monedas al aire, ¿cuántas combinaciones de cara o cruz son posibles? Hay dos formas en que puede caer una moneda: cara o cruz. En conjunto, hay $2 \times 2 \times 2 \times 2 = 16$ combinaciones posibles.

    - Un diagrama lineal muestra una distribución de valores de un conjunto de datos al apilar "x" sobre cada valor de una recta numérica.

UN POQUITO MÁS

1. Los alumnos pueden dibujar diagramas de árbol con tres o más opciones.
2. La *permutación* es una de las maneras de ordenar un conjunto de objetos. Por ejemplo, dado el conjunto {1, 2, 3}, hay seis permutaciones: {1, 2, 3}, {1, 3, 2}, {2, 1, 3}, {2, 3, 1}, {3, 1, 2} y {3, 2, 1}. Se puede usar un factorial para determinar el número de permutaciones del conjunto. El factorial de un número es el producto que se obtiene al multiplicar todos los enteros del 1 al número en cuestión. El símbolo de factorial es !. Para el conjunto de tres números, el factorial sería $3! = 3 \times 2 \times 1$. Los estudiantes pueden emplear factoriales para determinar el número de permutaciones de diferentes números, como $4!$ o $5!$

($4! = 4 \times 3 \times 2 \times 1 = 24$; $5! = 5 \times 4 \times 3 \times 2 \times 1 = 120$)

RESPUESTAS

Actividad 1: Diagramas de árbol

1. a

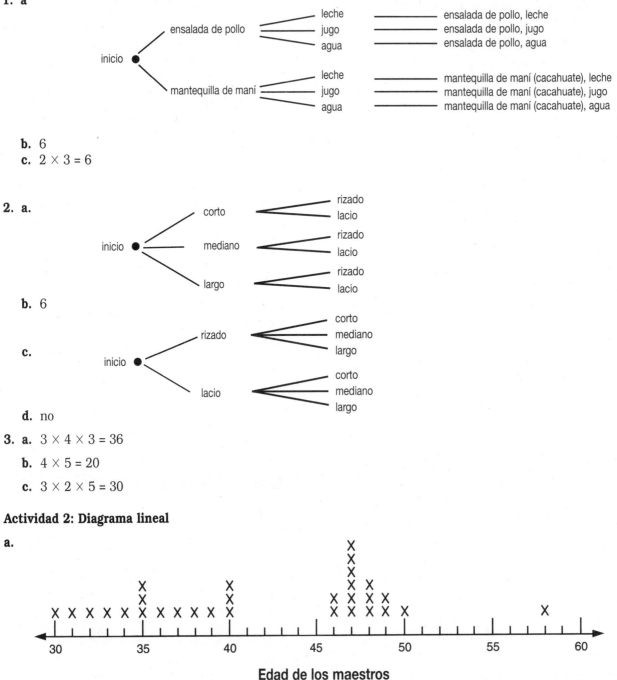

b. 6

c. $2 \times 3 = 6$

2. a.

b. 6

c.

d. no

3. a. $3 \times 4 \times 3 = 36$

   b. $4 \times 5 = 20$

   c. $3 \times 2 \times 5 = 30$

Actividad 2: Diagrama lineal

a.

Edad de los maestros

b. 30

c. 58

d. 30 a 40; 46 a 50

e. entre 40 y 46; entre 50 y 58

174 *Análisis de datos y probabilidad*

Nombre

ACTIVIDAD 1

Diagramas de árbol

Un **diagrama de árbol** es una figura ramificada que muestra todos los posibles resultados de una situación. El diagrama de árbol siguiente muestra los tipos posibles de sombreros que vende una tienda si ésta cuenta con dos colores —rojo y azul— en tres tallas —chica, mediana y grande—. Hay seis combinaciones posibles de sombreros.

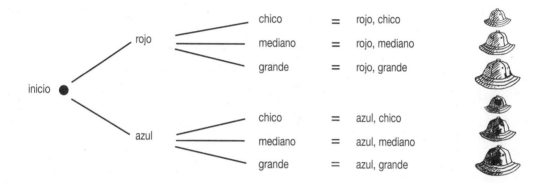

Puedes usar la multiplicación para encontrar el número posible de combinaciones de sombreros; para ello, multiplica la cantidad de posibilidades para cada objeto. Este método se llama **principio de conteo**. En el ejemplo anterior había dos opciones de color y tres de talla. Si usas el principio de conteo, las posibles combinaciones de sombreros estarían determinadas por la multiplicación del total de opciones de colores por las opciones de tallas: 2 × 3 = 6.

Ejercicios de práctica

1. David tiene dos pares de pantalones cortos (blanco y negro) y tres playeras (azul, verde y roja). ¿Cuántas combinaciones diferentes puede hacer?
   ¡Piensa!
   - A partir del punto inicial, dibuja una rama hacia cada color de pantalón corto.
   - A partir de cada color de pantalón corto, dibuja tres ramas hacia cada color de playera.
   - Escribe la combinación de cada rama.

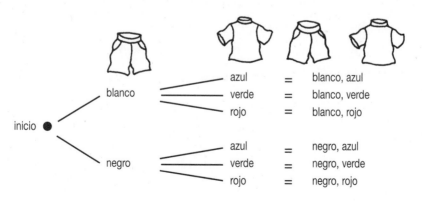

   - Cuenta el total de combinaciones.
   Respuesta: 6

2. Aplica el principio de conteo, ¿cuántas combinaciones diferentes puede hacer David con dos colores de pantalones cortos, tres colores de playeras y cuatro colores de calcetines?

¡Piensa!

• Multiplica el número de opciones para cada tipo de prenda que se combina.

$2 \times 3 \times 4 =$

Respuesta: 24

Ahora te toca a ti

1. La cafetería de la escuela tiene dos clases de emparedados (ensalada de pollo y mantequilla de maní) y tres de bebidas (leche, jugo y agua).

a. Si tu comida consta de un emparedado y una bebida, dibuja un diagrama de árbol para indicar las combinaciones posibles.

b. Utiliza el diagrama de árbol y di cuántas opciones de comida tienes _____

c. Usa el principio de conteo para determinar cuántas opciones de comida tienes.

_____

2. Laura planea cambiar de peinado. Tiene tres largos a elegir (corto, mediano y largo) y dos estilos (rizado y lacio).

a. Dibuja un diagrama de árbol partiendo de los tres largos de cabello.

b. ¿Cuántas opciones diferentes de peinado tiene Laura? _____

c. Dibuja otro diagrama de árbol partiendo de los dos estilos de cabello.

d. ¿Son diferentes las combinaciones comparadas con las obtenidas al iniciar con los tres largos de cabello? _____

3. Usa el principio de conteo para determinar el número de resultados en cada situación.

a. Perros: 3 tipos, 4 colores, 3 tamaños. ¿Cuántas opciones? _____

b. Zapatos: 4 tipos, 5 colores. ¿Cuántas opciones? _____

c. Autos: 3 marcas, 2 modelos, 5 colores. ¿Cuántas opciones? _____

ACTIVIDAD 2

Diagrama lineal

Una **gráfica** es un dibujo que muestra información de manera organizada. Un **diagrama lineal** es una gráfica que muestra los datos a lo largo de una recta numérica y utiliza "x" apiladas para indicar la distribución de volúmenes. El número de "x" sobre cada valor indica cuántas veces se presentó éste. Un diagrama lineal permite que ciertas características como valores atípicos, conglomerados o discontinuidades sean más obvias. Los **valores atípicos** representan puntos cuyos valores son significativamente más grandes o más pequeños de manera que se alejan del resto. Los conglomerados son grupos aislados de puntos. Las discontinuidades son grandes separaciones entre los puntos.

Ejercicios de práctica

1. La tabla indica las temperaturas altas (°C) registradas en una semana en Dallas, Texas.

   a. Traza un diagrama lineal con los datos.

   b. Identifica cualquier valor atípico.

   c. Identifica los conglomerados.

   d. Identifica las discontinuidades.

TEMPERATURA ALTA DIARIA EN DALLAS, TEXAS (°C)						
Dom	Lun	Mar	Mie	Jue	Vie	Sab
36	40	40	42	42	40	41

a. ¡Piensa!

- Elige una escala. Dado que la temperatura menor es 36 y la mayor 42, dibuja una escala de 36 a 42. Puedes usar un intervalo de 1 como muestra la figura.

- Escribe las temperaturas en orden numérico: 36, 40, 40, 40, 41, 42, 42.

- Por cada valor, marca una "x" sobre la recta numérica.

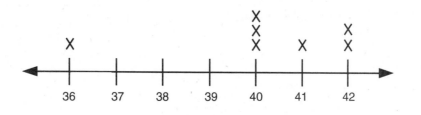

Temperaturas altas (°C) registradas en una
semana en Dallas, Texas

29

ACTIVIDAD 2 (continuación)

b. ¡Piensa!

• ¿Hay algún valor atípico, separado del resto?

Respuesta: 36°

c. ¡Piensa!

• ¿Hay algún conglomerado, es decir, un conjunto aislado de "x"?

Respuesta: 40° a 42°

d. ¡Piensa!

• ¿Hay alguna discontinuidad, es decir, una separación entre las temperaturas?

Respuesta: entre 36° y 40°

Ahora te toca a ti

1. Imagina que en una escuela hay treinta maestros. Sus edades son: 58, 30, 37, 36, 33, 49, 35, 40, 47, 47, 39, 32, 47, 48, 31, 50, 35, 40, 38, 47, 48, 34, 40, 46, 49, 47, 35, 48, 47 y 46.

a. Traza un diagrama lineal para los datos en la siguiente recta numérica:

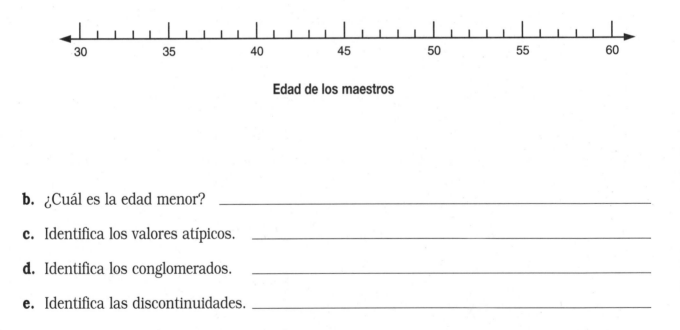

Edad de los maestros

b. ¿Cuál es la edad menor? _____

c. Identifica los valores atípicos. _____

d. Identifica los conglomerados. _____

e. Identifica las discontinuidades. _____

Probabilidad

SUGERENCIAS PARA EL MAESTRO

Guías para evaluar el progreso

Al término del quinto grado, el alumno ya debe saber:
- Expresar probabilidades como fracciones.

Al término del sexto grado y en primero de secundaria, el alumno ya debe saber:
- Determinar la probabilidad de una situación por medio de experimentos.

En este capítulo se espera que el alumno:
- Use la probabilidad para describir qué tan posible es que suceda un resultado o evento particular.
- Realice experimentos para determinar la probabilidad de que un bebé sea niño o niña.

Prepare lo siguiente

Investigación: ¿Niña o niño?
- Proporcione a cada alumno 2 bolsas de papel para almuerzo.
- Proporcione a cada alumno 30 frijoles rojos y 10 frijoles blancos.

Para presentar los conceptos matemáticos

1. Explique los nuevos términos:

    evento: resultado particular de un experimento o una situación.

    experimento: en probabilidad, actividad en la que interviene el azar.

    probabilidad: comparación entre el número de formas en que puede presentarse un evento particular y el total de resultados posibles.

2. Explore los nuevos términos:

    - Para estudiar probabilidad, son ejemplos de experimentos: lanzar los dados o una moneda o hacer girar una perinola.

    - Cuando se tiran los dados, que caiga un 2 o más es un evento posible.

    - Un diagrama de árbol semeja las ramas de un árbol. La actividad describe el uso de un diagrama de árbol para calcular la probabilidad de todos los resultados al hacer girar dos perinolas. Este ejemplo se puede emplear para dibujar otros diagramas de árbol para determinar la probabilidad de los eventos.

UN POQUITO MÁS

1. Los alumnos pueden expresar las probabilidades como fracciones o como decimales.

2. El *cuadrado de Punnett* se parece a un diagrama de árbol en cuanto a que muestra todas las combinaciones posibles. En ciencia, el cuadrado de Punnett se emplea en lugar del diagrama de árbol para indicar todas las posibles combinaciones genéticas que se transfieren de padres a hijos. Por ejemplo, considere las combinaciones de genes de un progenitor con ojos café puro (CC) y otro con ojos café híbrido (Ca). Observe que la característica pura tiene dos genes idénticos, mientras que la híbrida posee dos genes diferentes.

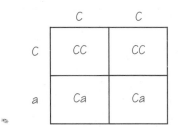

Cuadrado de Punnett

Hijo:
50% café puro
50% café híbrido
0% azul puro

Los alumnos pueden emplear cuadrados de Punnett para determinar la probabilidad de los rasgos para los hijos en cada una de las siguientes combinaciones:

1. LL + Ll   3. PP + Pp
2. LL + ll   4. Pp + Pp

Leyenda
LL lóbulo de la oreja pegado puro
ll lóbulo de la oreja despegado puro
Ll lóbulo de la oreja despegado híbrido
PP Cabello castaño puro
pp Cabello rubio puro
Pp cabello castaño híbrido

RESPUESTAS

Actividad: Probabilidades

1. a.

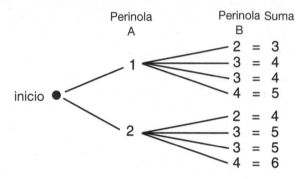

b.

Sumas de resultados	Total de cada suma de resultados	Probabilidad para 8 resultados
3	1	1:8
4	3	3:8
5	3	3:8
6	1	1:8

ACTIVIDAD

30

Probabilidad

La **probabilidad** es la oportunidad de que algo suceda; se expresa como la razón entre el número de maneras en que un evento particular puede presentarse y el número total de resultados posibles. En probabilidad, cualquier actividad en la que participe el azar se llama **experimento**. Cada resultado particular de un experimento o situación se llama **evento**.

Ejercicios de práctica

Observa el diagrama de las perinolas A y B.

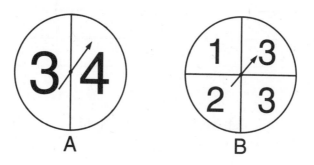

1. Si cada perinola se hace girar y se suman los números de cada una:
   a. Dibuja un diagrama de árbol para indicar todos los resultados posibles.
   ¡Piensa!
   • Para hacer un diagrama de árbol, comienza con todos los números de una de las perinolas, como los de A.
   • Por cada número de A, escribe todos los números de la perinola B y conecta a cada uno con una rama como se muestra abajo.
   • Suma los números para indicar la adición de todas las combinaciones de números posibles de las perinolas A y B como se muestra a continuación.
   Respuesta:

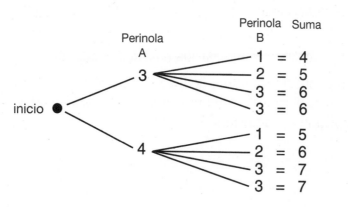

b. Expresa la probabilidad de cada resultado como una razón.

¡Piensa!

• La probabilidad de cada suma particular es la razón entre el total de resultados de esa suma y el número total de resultados posibles, que para las perinolas A y B es 8.

Respuesta:

Sumas de resultados	Total de cada suma de resultados	Probabilidad para 8 resultados
4	1	1:8
5	2	2:8
6	3	3:8
7	2	2:8

Ahora te toca a ti

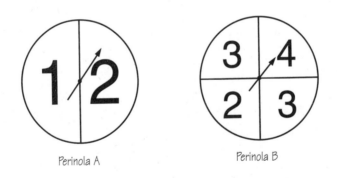

Perinola A   Perinola B

1. Observa el diagrama de las perinolas A y B. Si cada perinola se hace girar y se suman los números de las dos:

   a. Dibuja un diagrama de árbol para indicar los posibles resultados.

   b. Prepara una tabla que muestre la suma de los resultados, el total de la suma de cada resultado y las probabilidades para los resultados. Expresa la probabilidad de cada resultado como una razón empleando dos puntos.

INVESTIGACIÓN

¿Niña o niño?

OBJETIVO

Utilizar un diagrama de árbol para comparar la probabilidad experimental con la probabilidad calculada.

Materiales

marcador
2 bolsas de papel para almuerzo
30 frijoles rojos
10 frijoles blancos
copia de la hoja "Círculos de probabilidad"

Procedimiento

1. Con el marcador, escribe RR en una de las bolsas y RB en la otra.

2. Coloca 20 frijoles rojos en la bolsa RR y 10 en la bolsa RB.

3. Agrega 10 frijoles blancos sólo a la bolsa RB y mézclalos muy bien.

4. Coloca las bolsas sobre una mesa.

5. Coloca la hoja "Círculos de probabilidad" en la mesa.

6. Sin mirar al interior de las bolsas, saca un frijol de cada una de ellas y colócalos juntos en el círculo 1 de la hoja "Círculos de probabilidad". En la tabla "Datos de combinación de frijoles", escribe una "X" en la casilla que corresponda a la combinación de colores del círculo 1, ya sea RR

(rojo/rojo) o RB (rojo/blanco). Por ejemplo, si hay 1 frijol rojo y 1 blanco en el círculo 1, marca una "X" en la casilla RB.

7. Repite el paso 6 hasta que todos los círculos tengan un par de frijoles en ellos y hayas llenado toda la tabla de datos.

8. Usa los datos experimentales para determinar la probabilidad (P) de cada combinación:

    • $P_{(RR)}$ = Total RR ÷ Gran total (RR + RB) =
    • $P_{(RB)}$ = Total RB ÷ Gran total (RR + RB) =

9. Completa el diagrama de árbol siguiente para indicar las combinaciones posibles de frijoles de las dos bolsas.

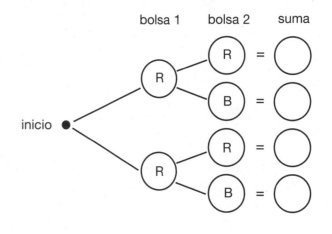

10. Utiliza el diagrama de árbol anterior y determina la probabilidad de cada combinación de letras.

DATOS DE COMBINACIÓN DE FRIJOLES					
Círculo	RR	RB	Círculo	RR	RB
1			6		
2			7		
3			8		
4			9		
5			10		

11. Compara la probabilidad experimental de cada combinación de letras con la probabilidad determinada con el diagrama de árbol.

Resultados

El diagrama de árbol indica que la probabilidad para las combinaciones RR y RB es 1 de cada 2 o 50% RR y 50% RB. En esta actividad, donde sólo hay 10 muestras, los resultados pueden variar de 50%, es decir, los resultados que aparecen en el siguiente ejemplo de tabla de "Datos de combinación de frijoles" indican una proporción de 30% RR y 70% RB.

DATOS DE COMBINACIÓN DE FRIJOLES					
Círculo	RR	RB	Círculo	RR	RB
1	X		6	X	
2		X	7		X
3		X	8		X
4		X	9		X
5	X		10		X

Total de RR = 3   Total de RB = 7
Gran total (RR + RB) = 10

- $P_{(RR)} = 3 \div 10$
  $= 0.3$
  $= 30\%$

- $P_{(RB)} = 7 \div 10$
  $= 0.7$
  $= 70\%$

¿Por qué?

El *género* (femenino o masculino) de un bebé es producto de dos conjuntos de instrucciones. Cada progenitor proporciona el suyo. En probabilidad, cualquier actividad en la que participa el azar se llama experimento. En este experimento hay dos combinaciones posibles de instrucciones, RR y RB. RR en este experimento representa a una mujer y RB a un hombre. En la bolsa 1 (RR), sólo hay frijoles rojos; por tanto, únicamente son posibles instrucciones R. En la bolsa 2 (RB), hay frijoles rojos y blancos; por tanto, hay dos tipos diferentes de instrucciones posibles, R y B. Si la combinación es RR, se produce una niña; si la combinación es RB, se produce un niño. Aunque el diagrama de árbol indica que la probabilidad de obtener un niño o una niña es de 1 de cada 2, el experimento demuestra que por cada diez niños que nacen, esta probabilidad puede o no ser cierta, pero entre mayor sea el número de bebés que nace, mayor será la probabilidad de que 50% sean niños y 50% niñas.

INVESTIGACIÓN (continuación)

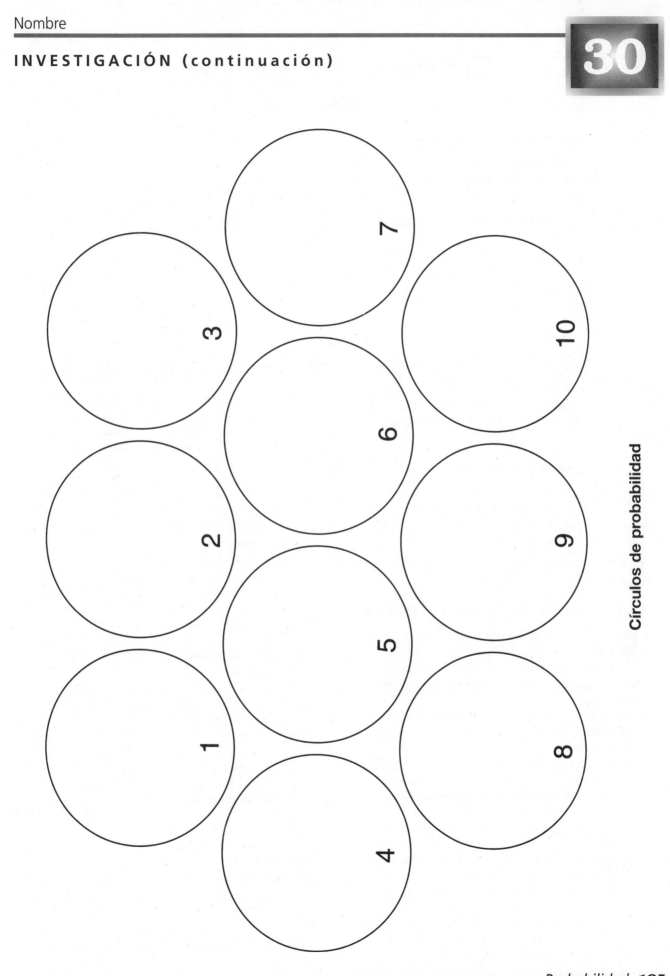

Círculos de probabilidad

Gráficas de barras

SUGERENCIAS PARA EL MAESTRO

Guías para evaluar el progreso

Al término del quinto grado, el alumno ya debe saber:
- Usar la información de una gráfica de barras para contestar preguntas.

Al término del sexto grado y en primero de secundaria, el alumno ya debe saber:
- Construir gráficas de barras con la ayuda de tecnología y sin ella.
- Usar resultados experimentales para hacer predicciones y tomar decisiones.
- Usar gráficas y tablas para resolver problemas.

En este capítulo se espera que el alumno:
- Construya e interprete gráficas de barras partiendo de una información dada.
- Resuelva problemas al reunir, organizar, presentar e interpretar conjuntos de datos en una gráfica de barras.

Prepare lo siguiente

Investigación: Ritmo cardiaco.
- Los alumnos pueden trabajar en equipos de tres integrantes. Las funciones de anotar, medir el tiempo y tomar el pulso se pueden rotar.
- Cerciórese de que cada equipo cuente con un reloj con segundero.

Para presentar los conceptos matemáticos

1. Explique los nuevos términos:
   gráfica de barras: diagrama que usa barras verticales u horizontales para representar datos numéricos.
   tabla de datos: cuadro que contiene información organizada.
   título de la gráfica: el nombre del diagrama que representa la información presentada en la gráfica.
2. Explore los nuevos términos:
   - Las gráficas permiten realizar una comparación visual rápida de la información. Son dibujos que muestran los datos en forma organizada.
   - Todas las gráficas deben tener: 1) título, 2) nombre para el eje x (horizontal) y nombre para el eje y (vertical), 3) escalas numéricas que tengan el mismo intervalo entre cada división y 4) nombres para las categorías que se evalúan.
   - Es común que las escalas comiencen en el 0, pero esto no es forzoso.
   - Las barras de estas gráficas pueden ser verticales u horizontales. El ancho y la separación de cada barra en la gráfica deben ser iguales.

- Para leer una gráfica de barras verticales, encuentre la parte superior de la barra y luego siga una línea horizontal a través de la escala. Para leer una gráfica de barras horizontales, encuentre el final de la barra y siga una línea vertical hacia abajo hasta la escala.
- Es posible responder algunas preguntas con tan sólo comparar la longitud de las barras. Por ejemplo, si una gráfica de barras se usa para comparar la cantidad de lluvia para cada mes del año, el mes con la barra más alta tiene la mayor cantidad de lluvia y el que tiene la barra más baja presenta la menor cantidad de lluvia.

UN POQUITO MÁS

1. Divida la clase en dos grupos, uno de niños y otro de niñas. Haga una lista de los nombres de las niñas en una tabla de "Datos de ritmo cardiaco femenino" y anote el promedio de latidos para cada una de ellas. Haga una lista de los nombres de los niños y su promedio de latidos en una tabla de "Datos de ritmo cardiaco masculino". Pida a los estudiantes que representen esta información en una gráfica de barras dobles que indiquen la información para niños y niñas. Se pueden emplear barras de colores diferentes para distinguir los datos de hombres y mujeres. Se pueden realizar gráficas en computadora y hacer preguntas acerca de las tablas de datos y las gráficas, por ejemplo: un grupo de adultos tiene un ritmo cardiaco promedio en reposo de 70 latidos por minuto. En su grupo:
   - En reposo, ¿cuántos niños tienen un ritmo cardiaco más rápido que el del grupo de adultos; cuántas niñas?
   - En reposo, ¿cuántos niños tienen un ritmo cardiaco más lento que el del grupo de adultos; cuántas niñas?
   - ¿Cuál es el rango del ritmo cardiaco de los niños; de las niñas?
   - ¿Cuál es el ritmo cardiaco promedio para los niños; para las niñas?
2. Los alumnos pueden investigar el sabor favorito de helado de sus compañeros de escuela. Pueden realizar un muestreo al azar de estudiantes. Por ejemplo, cada alumno de la clase puede encuestar un número determinado de estudiantes. Después pueden organizar los datos reunidos y elaborar con ellos una gráficas de barras.

SUGERENCIAS PARA EL MAESTRO (continuación)

RESPUESTAS

Actividad: Gráficas de barras

1. guepardo

2. tres: guepardo, liebre y ser humano

3. guepardo y liebre

4. 19 km/h (la respuesta puede variar de 17 a 22 km/h)

5. 72 km/h

Investigación: Ritmo cardiaco

Pregunta	Respuesta
1	elefante, 25 latidos por minuto
2	conejo, 200 latidos por minuto
3	Entre más pequeño es el animal, mayor es su ritmo cardiaco. *Nota*: aunque la información sobre tres animales no es suficiente para establecer un patrón, los científicos han determinado que, por lo general, hay un aumento en el ritmo cardiaco a medida que se reduce el tamaño del animal.

ACTIVIDAD

Gráficas de barras

Las observaciones o los elementos medidos se llaman datos. Un cuadro que contiene datos organizados se llama **tabla de datos**. Una gráfica es un dibujo que muestra los datos en forma organizada. Los dibujos que usan barras para representar la información se llaman **gráficas de barras**. El **título de la gráfica** indica qué información muestra dicha gráfica. El eje x de una gráfica es la línea horizontal con una escala o lista de categorías. El eje y es la línea vertical con una escala o lista de categorías. Una escala es una serie de números y unidades empleada para medir algo y un intervalo es la cantidad fija entre los números de la escala.

Ejercicios de práctica

Usa la gráfica de barras "Distancias de salto del ser humano y varios animales" para responder lo que se te pide:

1. ¿Qué información representa la gráfica?

2. ¿Qué nombre tiene el eje x?

3. ¿Qué nombre tiene el eje y?

4. ¿Cuál es la unidad de medida de la escala del eje y?

5. ¿Qué tan lejos puede saltar un impala?

   1. ¡Piensa!

   • ¿Qué te dice el título de la gráfica acerca de ésta?

   Respuesta: la gráfica muestra la distancia de salto del ser humano y de los animales de la lista.

   2. ¡Piensa!

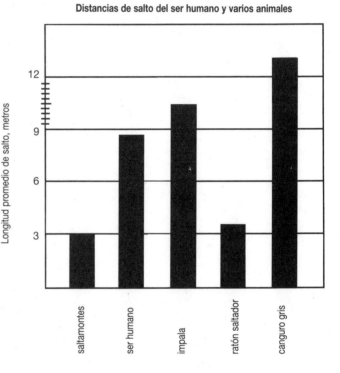

Distancias de salto del ser humano y varios animales

• ¿Qué aparece en la lista de la línea horizontal de la parte inferior de la gráfica?

Respuesta: los nombres de algunos animales incluyendo al ser humano.

3. ¡Piensa!

• ¿Qué marcas tiene el eje vertical de la gráfica?

Respuesta: la longitud de salto promedio, en metros.

4. ¡Piensa!

• Una unidad es una cantidad que se usa para mediciones estándar. Metro y libra son ejemplos de unidades.

Respuesta: la unidad de la escala del eje y es el metro.

5. ¡Piensa!

- Si dividimos cada intervalo de 3 metros en diez partes, cada división equivale a 30 cm.

- La parte superior de la barra del impala está alineada con la quinta división por arriba de la marca de los 9 metros.

Respuesta: la longitud promedio de salto del impala es: 10.5 metros, es decir, 9 metros de la marca, más 1.5 metros que corresponden a la quinta división por encima de aquélla.

Ahora te toca a ti

Usa los datos de la gráfica de barras "Velocidad máxima del ser humano y varios animales" para completar la tabla "Velocidad máxima del ser humano y varios animales". Después, utiliza la tabla completa para responder lo que se te pide:

VELOCIDAD MÁXIMA DEL SER HUMANO Y VARIOS ANIMALES	
Animales	**Velocidad, kilómetros por hora**
guepardo	
liebre	
humano	
serpiente mamba	
zorro rojo	

1. ¿Qué animal, incluyendo al ser humano, desarrolla la velocidad máxima al correr? _____

2. ¿Cuántos animales, incluyendo al ser humano, son más veloces que el zorro rojo?_____

3. ¿Cuáles animales corren más rápido que el ser humano? _____

4. ¿Cuál es la velocidad del animal más lento, incluyendo al ser humano?

_____

5. ¿Cuál es la velocidad máxima de la liebre? _____

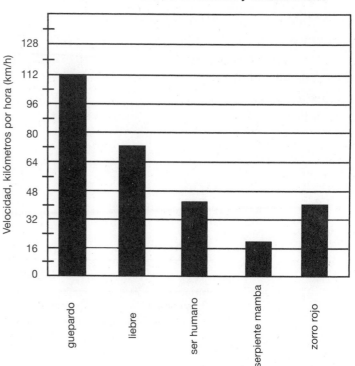

Velocidad máxima del ser humano y varios animales

INVESTIGACIÓN

Ritmo cardiaco

OBJETIVO

Medir tu ritmo cardiaco y usar una gráfica de barras para compararlo con los ritmos cardiacos de otros animales.

Materiales

reloj con segundero
lápiz
ayudante

Procedimiento

(*Nota*: se debe medir el ritmo cardiaco durante un momento de inactividad, como cuando has estado sentado por cierto tiempo).

1. Recarga tu brazo sobre una mesa con la palma de la mano hacia arriba.

2. Coloca las yemas de los dedos de tu otra mano sobre tu muñeca, en donde termina el dedo pulgar.

3. Presiona con suavidad hasta que sientas tu pulso. *Nota*: quizá necesites mover tus yemas alrededor del área hasta que localices tus latidos.

4. Pide a tu ayudante que mida el tiempo. Cuando tu ayudante diga "empieza", cuenta tus latidos hasta que éste diga "alto", al final de 15 segundos.

5. Multiplica el número de latidos contados en 15 segundos por 4, y anota ese dato como el número de latidos en 1 minuto (60 segundos) para la prueba 1 en la tabla "Datos de ritmo cardiaco".

6. Repite los pasos del 1 al 5 tres veces, registrando tu ritmo cardiaco por minuto en las pruebas 2, 3 y 4.

7. Promedia las cuatro pruebas. (Para obtener el promedio, suma los latidos cardiacos y divide el total entre 4.)

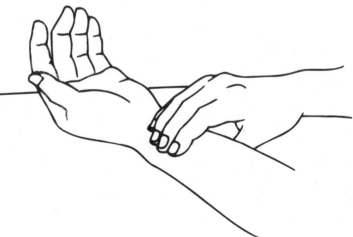

DATOS DE RITMO CARDIACO				
Prueba 1	**Prueba 2**	**Prueba 3**	**Prueba 4**	**Promedio**
Latidos/min				

INVESTIGACIÓN (continuación)

31

8. Añade la barra de tu ritmo cardiaco promedio en la gráfica "Ritmo cardiaco del ser humano y varios animales". Usa la gráfica de barras para responder lo que se te pide.

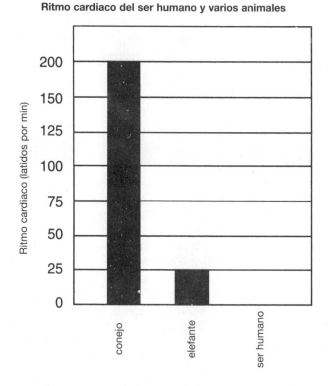

Ritmo cardiaco del ser humano y varios animales

Resultados

Los ritmos cardiacos varían.

¿Por qué?

Las yemas de los dedos sienten latidos rítmicos. El número de veces que tu corazón late en un minuto se llama ritmo cardiaco. Cada vez que el corazón se contrae, la sangre es impulsada a través de las *arterias* (vasos sanguíneos por donde sale la sangre del corazón). La sangre se mueve con una velocidad rítmica, haciendo que las arterias pulsen o latan. El latido que sientes con tus dedos se llama *pulso*. La arteria de tu muñeca está cerca de la superficie de la piel, lo cual explica que puedas sentir el pulso con más facilidad.

1. ¿Qué animal tiene el menor ritmo cardiaco? _____

2. ¿Qué animal tiene el mayor ritmo cardiaco? _____

3. El tamaño de los animales, del más grande al más pequeño es: elefante, ser humano, conejo. ¿Cómo afecta el tamaño al ritmo cardiaco? _____

4. ¿Cómo es tu ritmo cardiaco comparado en la gráfica con el ritmo promedio de los seres humanos? ¿Menor? ¿Mayor? ¿Igual?_____

Gráficas poligonales

SUGERENCIAS PARA EL MAESTRO

Guías para evaluar el progreso

Al término del quinto grado, el alumno ya debe saber:
- Usar tablas de pares de números relacionados para trazar una gráfica poligonal.

Al término del sexto grado y en primero de secundaria, el alumno ya debe saber:
- Leer e interpretar gráficas poligonales.

En este capítulo se espera que el alumno:
- Interprete una gráfica poligonal.
- Resuelva problemas al reunir, organizar, presentar e interpretar conjuntos de datos en una gráfica poligonal.
- Mida el crecimiento de una planta y grafique el crecimiento diario promedio en una gráfica poligonal.

Prepare lo siguiente

Investigación: Germinación.
- Remoje en agua frijoles pintos durante toda la noche; reparta 4 por alumno o por equipo. Para evitar que se agrien mantenga los frijoles en refrigeración.
- Se pueden utilizar plumas de cuatro colores diferentes para trazar las gráficas poligonales.
- Si el crecimiento de los tallos de las plantas es mayor de 20 cm, las divisiones de la escala pueden tener un valor de 2 cm cada una.
- Señale que la parte faltante de la escala, indicada por la línea en zigzag del diagrama, se debe reemplazar con los números del 4 al 18 en el eje y, y del 5 al 12 en el eje x.

Para presentar los conceptos matemáticos

1. Explique el nuevo término:

   gráfica poligonal: diagrama en el cual los cambios en los datos se muestran a través de líneas.

2. Explore el nuevo término:
   - Con frecuencia, las gráficas poligonales muestran la manera en que los datos cambian con el tiempo.
   - Cada punto de una gráfica poligonal representa un conjunto de datos. Una línea conecta los puntos.

- Los puntos de algunas gráficas poligonales son pares ordenados constituidos por dos números, el primero se mide a partir de la escala en el eje x y el segundo desde el eje y.
- Se puede usar una línea en zigzag para indicar que falta una parte de la escala, como en la gráfica del crecimiento del tallo de la página 196 de la investigación "Germinación". Señale que éste es un ejemplo y que su gráfica debe contener todas las partes faltantes representadas por las líneas en zigzag.

UN POQUITO MÁS

¿Cómo se compara el crecimiento de diferentes tipos de frijol? Los estudiantes pueden repetir la investigación "Germinación", numerando 8 sitios en torno a la cinta adhesiva. Use dos tipos de frijol, como pinto y alubias. Alterne los frijoles en el vaso de plástico, colocando los frijoles pintos bajo los números nones y las alubias bajo los pares. Use dos colores diferentes para preparar una gráfica poligonal indicando el crecimiento para los dos tipos de frijol.

RESPUESTAS

Actividad: Gráficas poligonales

1. enero
2. cuatro
3. octubre
4. 86 °F
5. enero, febrero y diciembre

ACTIVIDAD

Gráficas poligonales

Una gráfica es un diagrama que muestra la relación entre números o cantidades. En una **gráfica poligonal** se usan líneas para indicar el cambio en los datos. La escala de altura vertical aumenta en valor de abajo hacia arriba, así que el punto más bajo en una gráfica poligonal muestra el valor menor. Por ejemplo, en una gráfica de caramelos, la altura de cada punto representa el número de barras de dulce consumidas durante la semana. Los días de la semana se indican en la parte inferior de izquierda a derecha.

DULCE CONSUMIDO DURANTE LA SEMANA

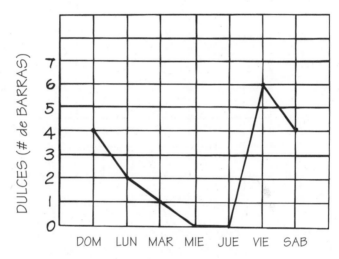

Ejercicios de práctica

Utiliza la gráfica poligonal "Temperatura alta promedio en Washington, D.C." para responder lo siguiente:

1. ¿Qué representan el eje *x* y el eje *y*?

2. ¿Cuál es la temperatura promedio en febrero?

3. ¿En qué mes se registró la temperatura más alta promedio?

   1. ¡Piensa!

- El eje *y* es la recta numérica vertical con una escala que mide la temperatura en °F.
- El eje *x* es la recta horizontal con una lista de los meses.

Respuesta: el eje *y* mide la temperatura en °F; el eje *x* indica los meses.

   2. ¡Piensa!

- El intervalo entre cada número de la escala de altura es 10 °F.
- Hay una división entre cada número en la escala de temperatura. Así que el valor de cada intervalo (distancia entre cada línea horizontal) es 5 °F.
- El punto para febrero está entre 40° y 50 °F.

Respuesta: la temperatura promedio para febrero es de 45 °F.

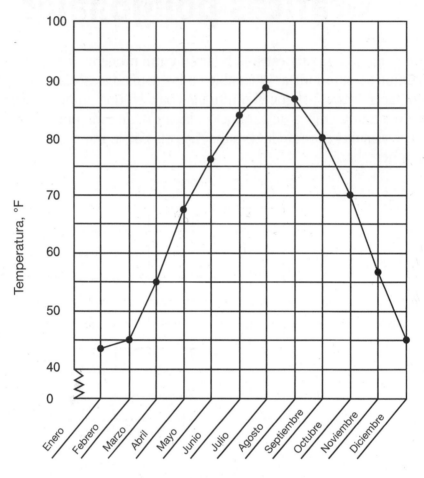

Temperatura alta promedio en Washington, D.C.

3. ¡Piensa!

- El punto más alto en la gráfica poligonal indica la mayor temperatura promedio.
- ¿Qué mes presenta el punto más alto?

Respuesta: el mes de julio tiene la mayor temperatura promedio en la gráfica poligonal.

Ahora te toca a ti

Usa la gráfica poligonal "Temperatura alta promedio en Washington, D.C." para contestar lo siguiente:

1. ¿Qué mes tiene la menor temperatura promedio? _____

2. ¿Cuántos meses tienen mayor temperatura promedio que mayo? _____

3. ¿Qué mes tiene mayor temperatura promedio, abril u octubre? _____

4. ¿Cuál es la temperatura promedio para agosto, 84 °F u 86 °F? _____

5. ¿Qué meses tienen una temperatura promedio menor que la de marzo? _____

INVESTIGACIÓN

Germinación

OBJETIVO

Medir y graficar el crecimiento de una planta de frijol.

Materiales

3 toallas de papel
vaso de plástico transparente de 300 ml
    (10 onzas)
masking tape
lápiz
4 frijoles pintos remojados una noche en agua
agua de la llave
regla para medir con escala en cm
1 hoja de papel milimétrico
4 plumas de tinta: roja, negra, verde y azul

Procedimiento

1. Dobla a la mitad una toalla de papel y úsala para forrar el interior del vaso.
2. Arruga las otras dos toallas de papel y rellena el vaso con ellas para sostener el forro del vaso ajustado contra los bordes de éste.
3. Coloca una tira de masking tape alrededor del exterior del vaso y usa un lápiz para marcar la cinta con las letras A, B, C y D. Espacia las letras en forma homogénea en torno al perímetro del vaso.
4. Coloca un frijol pinto entre el vaso y la toalla de papel doblada bajo cada letra.

5. Humedece las toallas de papel que están en el vaso. Mantén húmedas las toallas del vaso durante todo el experimento, pero no las empapes.
6. Observa las plantas a diario o con la mayor frecuencia posible durante 14 días. Mide en centímetros el crecimiento del tallo de cada frijol por cada día que hagas una observación, partiendo de la parte superior del masking tape hasta la parte inferior de las hojas de la planta, como se ve en la figura. Anota el crecimiento del tallo en la tabla "Datos del crecimiento del tallo". El día 1 es el inicial y el crecimiento es de 0 cm. *Nota*: es posible que pasen 4 días o más antes de que el crecimiento pueda medirse.

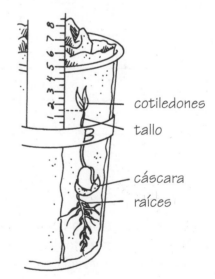

cotiledones
tallo
cáscara
raíces

7. Escribe en el papel milimétrico el siguiente título: "Crecimiento diario del tallo de frijol".
8. Traza los ejes lineales para la planta A en el papel milimétrico. Marca el eje y de la gráfica como "Crecimiento del tallo, cm" y numera cada división de 0 a 20.
9. Marca el eje x de la gráfica como "Días" y numera la escala de 1 a 14, como se muestra en el ejemplo de la página 196.

DATOS DEL CRECIMIENTO DEL TALLO														
Crecimiento del tallo de frijol, cm														
Planta	Día													
	1	2	3	4	5	6	7	8	9	10	11	12	13	14
A														
B														
C														
D														

Planta A: Crecimiento diario del tallo de frijol

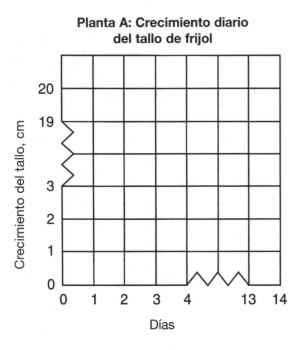

a. ¿Qué planta comenzó a crecer primero?

_____

b. ¿Cuánto tardó cada semilla en comenzar a crecer? _____

c. ¿Qué planta presentó el mayor crecimiento? _____

Resultados

El tiempo para el crecimiento de la semilla y la altura de la planta variarán lo mismo que las gráficas poligonales resultantes. No obstante, todas estas gráficas de crecimiento de las plantas deberán mostrar un aumento con respecto al tiempo.

¿Por qué?

El proceso por el cual *brota* (comienza a crecer) o se desarrolla una semilla se denomina *germinación*. El tiempo que tarda dicha semilla en crecer se llama *tiempo de germinación*. Dado que se empleó el mismo tipo de semillas, el tiempo de germinación para cada una de ellas variará sólo por unos días. La altura de cada tallo depende del momento en que comienza a crecer la semilla. Si brotan bajo las mismas condiciones y se les da suficiente tiempo, el crecimiento del tallo de las diferentes plantas por lo general sólo tendrá ligeras diferencias.

10. Con la pluma roja, marca los puntos en la gráfica para el crecimiento diario de la planta A. Usa pluma y regla para trazar líneas que conecten los puntos.

11. Repite los pasos 8 a 10 tres veces. Dibuja líneas para las plantas restantes con el mismo papel milimétrico que empleaste para la planta A. Utiliza una pluma de diferente color para cada planta.

12. Usa las gráficas poligonales de las cuatro plantas para responder lo siguiente:

Guías para evaluar el progreso

Al término del quinto grado, el alumno ya debe saber:
- Realizar mediciones para resolver problemas que incluyan la media de un conjunto de datos.
- Usar tablas para resolver problemas.

Al término del sexto grado y en primero de secundaria, el alumno ya debe saber:
- Describir un conjunto de datos usando la media.
- Usar resultados experimentales para hacer predicciones.

En este capítulo se espera que el alumno:
- Mida longitudes y determine la media de longitud de diferentes grupos.

Prepare lo siguiente

Investigación 1: Largo del brazo.
- Se requiere trabajar en equipos de exactamente 4 integrantes. Si hay un equipo con menos de 4 elementos, pueden usar la medida del largo del brazo de un integrante de otro equipo para completar la información con la que trabajarán.
- Corte un trozo de cordel de 4 metros de longitud para cada equipo.

Investigación 2: ¿Cuánto mide?
- Proporcione 20 manís (cacahuates) crudos o tostados con cáscara a cada estudiante o equipo. (*PRECAUCIÓN*: si hay estudiantes alérgicos a éste, midan las medias de otros objetos).

Para presentar los conceptos matemáticos

1. Explique los nuevos términos:

 media: el resultado de la suma de un conjunto de números se divide entre el número de sumandos; promedio.

 promedio: sinónimo de media.

2. Explore los nuevos términos:

 - Cada número que se suma se llama sumando. Cuando los números 2, 3 y 4 se suman, hay tres sumandos.
 - Media es lo mismo que promedio. Por ejemplo, el promedio de los números 2, 3 y 4 es la suma de ellos (2 + 3 + 4 = 9), dividida entre el número de sumandos (3). Por tanto, el promedio o media es 9 ÷ 3 = 3.

- La media o promedio proporciona información general acerca de la información reunida. La media de precipitación de nieve para un año no indica cuánta nieve caerá en un día especial, pero sí proporciona la información necesaria para comparar las nevadas de un año con otro. Dado que la nieve se derrite y llena lagos y reservas, la comparación de un año con otro puede dar una indicación de la humedad de un área.

- La calificación de fin de año en la boleta de los alumnos es la media de las calificaciones obtenidas en cada materia durante un periodo específico.

UN POQUITO MÁS

1. Escriba en el pizarrón la media o promedio del largo del brazo en cada equipo. Los alumnos pueden usar esta información para calcular la media del largo del brazo para todo el grupo.

2. Los alumnos pueden descubrir el efecto que tiene en la media un dato atípico (número que es muy diferente del resto) en el conjunto. Puede proporcionarles tablas de datos, para que determinen la media con y sin el valor atípico. Por ejemplo, el punto desviado en la tabla de "Datos de temperatura alta diaria" es de 7.2 °C. La media con el punto atípico es 28 °C, mientras que sin éste es de 31.5 °C. Los alumnos pueden investigar más para determinar la manera en que los valores atípicos afectan la mediana y moda de un conjunto de datos.

DATOS DE TEMPERATURA ALTA DIARIA (°C)	
Lunes	30
Martes	31
Miércoles	32
Jueves	33
Viernes	31
Sábado	32
Domingo	7.2

33

Largo del brazo

OBJETIVO

Determinar la media del largo del brazo de los integrantes de un equipo.

Materiales

lápiz
cordel de 4 metros de largo
marcador
tijeras
regla
equipo de 4 integrantes

Procedimiento

1. Escribe el nombre de cada miembro del equipo en la tabla "Datos del largo real del brazo".

2. Pide a un integrante que estire su brazo hacia su costado mientras tú usas el cordel para medir el largo del brazo. Comenzando con un extremo del cordel, mide desde la punta del dedo medio hasta el hueso del hombro. Marca el largo del brazo en el cordel.

3. Con la regla, determina el largo marcado en el cordel hasta el milímetro más cercano. Anota esta medida en la tabla "Datos del largo real del brazo" debajo del nombre del estudiante.

4. Repite los pasos 2 y 3, comenzando en la última marca para medir el largo del brazo de cada persona hasta medir los brazos de las cuatro. Corta el cordel en la última marca.

5. Determina la suma de los cuatro largos del brazo. Anota la suma hasta el milímetro más cercano en la tabla de datos.

6. Calcula el largo promedio del brazo dividiendo la suma de las medidas de los cuatro brazos entre el total de brazos medidos, que es 4. Anota el valor hasta el milímetro más cercano en la tabla de datos.

7. El cordel entero es la suma del largo de los cuatro brazos. Mide el hilo y anota este valor como la suma del largo de brazos en la tabla "Datos del largo de brazo modelo".

DATOS DEL LARGO REAL DEL BRAZO

Estudiantes					
				Suma	Media
Largo de brazo					

¿Cómo se compara la suma del largo del brazo modelo con la suma real del largo del brazo?

8. Corta el cordel a la mitad. Luego corta cada uno de los pedazos otra vez a la mitad para formar cuatro secciones de cordel de igual tamaño. Cada uno de estos trozos representa la media del largo de brazo del grupo. Mide cada pieza de cordel y anota su medida como media del largo del brazo

en la tabla "Datos del largo del brazo modelo". ¿Cómo se compara esta medida con el largo real del brazo?

Resultados

Los largos modelo y calculado del brazo y la media del largo del brazo deben ser iguales, aunque pueden variar ligeramente debido al redondeo de los números.

¿Por qué?

La **media** o el **promedio** se obtiene al dividir la suma de un conjunto de valores entre el número de sumandos. Estos últimos son los valores que se suman para encontrar una adición. Había cuatro sumandos en la medición real y en el modelo.

DATOS DEL LARGO DEL BRAZO MODELO		
	Suma del largo de brazo (longitud del cordel)	Media del largo del brazo (longitud de sección de $^1/_4$ del cordel)
Modelo		

¿Cuánto mide?

OBJETIVO

Determinar la longitud media de la medida de un conjunto de manís.

Materiales

20 manís (cacahuates) con cáscara
regla para medir

Procedimiento

1. Medir y anotar el largo de cada maní hasta el centímetro más cercano.

2. Sumar las medidas de los 20 manís.

3. Determinar la medida promedio dividiendo la suma de las mediciones entre el número de manís, que es 20.

Medida promedio _____

Resultados

Serán variables.

¿Por qué?

La suma de las medidas dividida entre el total de manís medidos proporciona la media del tamaño de éstos. Los resultados serán variables porque el tamaño de éstos varía.

Mediana, moda y rango

SUGERENCIAS PARA EL MAESTRO

Guías para evaluar el progreso

Al término del quinto grado, el alumno ya debe saber:
- Identificar las matemáticas en la vida cotidiana.
- Encontrar la media, moda y el rango para una lista organizada de números.

Al término del sexto grado y en primero de secundaria, el alumno ya debe saber:
- Usar la mediana, moda y el rango para describir un conjunto de datos.

En este capítulo se espera que el alumno:
- Determine la mediana, moda y el rango de los números de una gráfica lineal.
- Mida el tiempo de reacción y encuentre la mediana, moda y el rango de las mediciones.

Prepare lo siguiente

Investigación: ¡UUY!
- Los alumnos deberán trabajar en parejas: uno de ellos medirá el tiempo de reacción del otro y luego intercambiarán posiciones para medir el tiempo de reacción.

Para presentar los conceptos matemáticos

1. Explique los nuevos términos:

   mediana: el número intermedio cuando se ordena una lista de valores.

   moda: el número más frecuente en una lista de valores.

   rango: la diferencia entre el valor menor y el valor mayor de una lista de números.

2. Explore los nuevos términos:

   - Algunas listas de números, como 3, 4, 5, 7, 10, 12, no tienen moda.

   - Si hay una cantidad par de números en una lista, el promedio de los dos números centrales es la mediana. Por ejemplo, 5 + 7 ÷ 2 = 6 es la mediana para la lista de números 3, 4, 5, 7, 10, 12.

   - El rango se calcula restando el número menor del mayor. Para la lista 3, 4, 5, 7, 10, 12, el rango es 12 − 3 = 9.

- En un diagrama lineal se usa una "X" para representar un valor.

- Un diagrama lineal ayuda a encontrar el valor mayor y el valor menor, lo mismo que el valor que tiene el número mayor de "X". (Repase el tema de los diagramas lineales del capítulo 29 de este libro.)

UN POQUITO MÁS

1. Los alumnos pueden anotar el número de barras de dulce que comen durante una semana, reunir estos datos para todo el grupo y preparar un diagrama lineal con los resultados. Por medio de este diagrama, pueden determinar la mediana, la moda y el rango de las barras de dulce que consume el grupo.

2. Con base en los resultados de la investigación "¡UUY!", los alumnos pueden preparar una tabla de datos con la distancia de reacción de cada uno de ellos. Asimismo, pueden utilizar dicha tabla para determinar moda, mediana y rango de las distancias de reacción del grupo. Pueden usar el rango para determinar si la práctica cambia el tiempo de reacción.

RESPUESTAS

Actividad: Mediana, moda y rango

1.

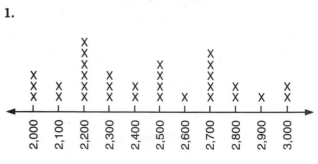

Número de calorías ingeridas en 31 días

2. 2,400 cal

3. 2,200 cal

4. 3,000 − 2,000 = 1,000 cal

34 ACTIVIDAD

Mediana, moda y rango

La **mediana** es el número intermedio que se obtiene cuando se ordena una lista de valores. La **moda** es el número más frecuente en una lista. El **rango** es la diferencia entre el número mayor y el número menor de una lista.

Ejercicios de práctica

Basándote en la siguiente lista de estaturas:

1. dibuja un diagrama lineal
2. identifica la mediana de estaturas
3. identifica la moda de estaturas
4. identifica el rango de estaturas

Estatura de los estudiantes, cm
120, 120, 120, 130, 135, 140, 140, 140, 140, 150, 155, 160, 160

1. ¡Piensa!

- Elige una escala. Dado que la menor estatura es de 120 cm y la mayor es de 160, elige una escala entre 120 y 160. Puedes usar un intervalo de 5, como muestra la figura.

- Dibuja una línea recta y márcala con lo que se está contando y con las unidades en las que se cuenta.

- Marca el rango de estaturas en la línea.

- Escribe una "X" para la estatura particular de cada alumno.

Respuesta:

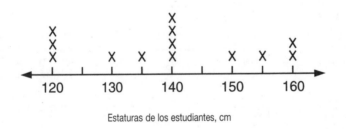

Estaturas de los estudiantes, cm

2. ¡Piensa!

- Hay 13 estaturas. La mediana será el séptimo número de la lista ordenada.

Respuesta: 140 cm

ACTIVIDAD (continuación)

3. ¡Piensa!

- En el diagrama lineal, ¿qué número tiene la mayor cantidad de "X"?

Respuesta: 140 cm

4. ¡Piensa!

- La estatura menor es de 120 cm y la estatura mayor de 160 cm. La diferencia entre estos números es 160 cm – 120 cm = ¿?

Respuesta: 40 cm

Ahora te toca a ti

A partir de la lista de calorías que se muestra:

1. Dibuja un diagrama lineal.

2. Identifica la mediana de las calorías ingeridas. _____

3. Identifica la moda de las calorías consumidas. _____

4. Identifica el rango de las calorías ingeridas. _____

Número de calorías ingeridas en 31 días
2000, 2000, 2000, 2100, 2100, 2200, 2200, 2200, 2200, 2200, 2200, 2300, 2300, 2300, 2400, 2400, 2500, 2500, 2500, 2500, 2600, 2700, 2700, 2700, 2700, 2700, 2800, 2800, 2900, 3000, 3000

¡UUY!

OBJETIVO

Medir el tiempo de reacción y medir su moda, mediana y rango.

Material

mesa y silla
ayudante
regla de madera de 1 metro

Procedimiento

1. Siéntate en la silla con tu antebrazo apoyado sobre la mesa y la mano con la que escribes extendida fuera del borde.

2. Pide a tu ayudante que sostenga la regla de madera de modo que la parte inferior de ésta (el lado del 0) quede justo arriba de tu mano.

3. Coloca tus dedos pulgar e índice en cada lado de la parte inferior de la regla pero sin tocarla.

4. Pide a tu ayudante que deje caer la regla entre tus dedos sin decirte cuándo la soltará.

5. Después de que suelte la regla, trata de atraparla lo más rápido posible entre tu pulgar e índice.

6. Observa el número de la regla que está justo sobre tu pulgar y anótalo como la distancia de reacción en la tabla "Datos de distancia de reacción".

7. Repite los pasos del 1 al 6 nueve veces.

8. Usa los datos reunidos para hacer un diagrama lineal y determina, a partir de éste, la mediana, la moda y el rango de las distancias de reacción anotando tus respuestas.

DATOS DE DISTANCIA DE REACCIÓN			
Prueba	Distancia de reacción, cm (pulg)	Prueba	Distancia de reacción, cm (pulg)
1		6	
2		7	
3		8	
4		9	
5		10	

DIAGRAMA LINEAL

Usa el diagrama lineal para determinar lo siguiente acerca de las distancias de reacción:

- **mediana** _____

- **moda** _____

- **rango** _____

Resultados

La distancia que cae la regla varía con cada individuo; por lo tanto, variarán la mediana, la moda y el rango de las distancias de reacción.

¿Por qué?

El *tiempo de reacción* es el tiempo que tardas en responder a una situación. En esta investigación, tu tiempo de reacción es el tiempo que tardas en atrapar la regla que cae, y la distancia de reacción que mediste se usa para indicar dicho tiempo de reacción. Entre mayor es el tiempo de reacción, mayor es la distancia de reacción.

Glosario

álgebra: rama de las matemáticas que explora las relaciones aritméticas por medio de signos y letras que representan a los números.

altura: en referencia a una figura plana o un cuerpo sólido, es la distancia perpendicular a su base.

análisis de datos: método sistemático para separar la información (datos) en sus partes individuales, examinarla y organizarla para resolver un problema.

analizar: separar una información en sus partes individuales, examinar dichas partes y organizarlas para resolver un problema.

ancho: para un cuerpo sólido, es la medida más corta de su base.

ángulo: distancia entre dos vectores o rayos que tienen el mismo punto inicial; dos segmentos de recta que se intersecan.

ángulo agudo: ángulo que mide menos de 90°.

ángulo llano: aquel que mide 180°.

ángulo obtuso: ángulo que mide más de 90°.

ángulo recto: aquel que mide 90°.

área: cantidad de superficie que cubre una figura.

arista: segmento de recta donde se unen dos caras de un cuerpo.

barra de división: la línea que separa numerador y denominador en una fracción.

base: en una figura plana, el largo de su parte inferior. Asimismo, el fondo de un cuerpo sólido; las caras paralelas de un prisma o cilindro.

cantidad: monto de cualquier cosa que puede medirse con un número.

cara: superficie plana de un cuerpo.

centésima: una de 100 partes iguales de un entero; el segundo lugar después del punto decimal.

cilindro: cuerpo sólido con lados curvos y dos bases circulares congruentes.

círculo: figura plana cuyos puntos se encuentran todos a la misma distancia de su centro.

circunferencia: perímetro de un círculo.

cociente: número distinto al residuo que resulta de dividir; la solución de una división.

conglomerados: grupos aislados de puntos en un diagrama lineal.

congruente: igual en forma o tamaño.

cono: cuerpo sólido con lados curvos y una base circular.

constante: cantidad cuyo valor no cambia.

conversión métrica: el cambio de una cantidad métrica a otra.

coordenadas: cada una de las dos partes de un par ordenado que se usan para graficar.

cuadrado: paralelogramo con cuatro lados de igual largo y cuatro ángulos rectos.

cuadrilátero: polígono de cuatro lados.

cubo: prisma rectangular cuyas caras son seis cuadrados congruentes; prisma cuadrado.

cuerda: línea recta que une dos puntos de la circunferencia.

cuerpo sólido: figura geométrica con tres dimensiones y volumen.

datos: observaciones y/o hechos medidos.

décima: una de 10 partes iguales de un todo; el primer lugar después del punto decimal.

decimal: número que lleva un punto decimal para indicar décimas, centésimas, milésimas, etcétera.

decimales equivalentes: decimales que indican la misma cantidad.

denominador: el número que va abajo de la rayita de una fracción; el número total de partes iguales en un todo.

diagrama de árbol: diagrama ramificado que muestra todos los posibles resultados de una situación.

diagrama lineal: dibujo que muestra el cambio en los datos en una recta numérica.

diámetro: línea recta que toca dos puntos de la circunferencia pasando por su centro, llamada también cuerda.

discontinuidades: grandes espacios o separaciones entre los puntos en un diagrama lineal.

dividendo: número que se divide en una división.

divisible: número que se puede dividir entre otro sin dejar residuo.

división: operación que indica cuántos grupos hay o cuántos elementos tiene cada grupo.

divisor: número entre el cual se divide un dividendo.

ecuación: enunciado matemático que usa un signo de igual y que indica que dos expresiones son iguales.

ecuación algebraica: enunciado matemático formado por variables y/o constantes y uno o más signos operacionales; combinación de constantes y variables y uno o más signos operacionales, como $n + 2$ o $n \times 4$.

eje de simetría: línea a lo largo de la cual se puede doblar a una figura en dos mitades congruentes. También se le llama línea de simetría.

eje x: línea horizontal de una cuadrícula o gráfica con una escala o una lista de categorías.

eje y: línea vertical de una cuadrícula o gráfica con una escala o lista de categorías.

en el sentido de las manecillas del reloj: movimiento giratorio que se realiza en la dirección en la que avanzan las manecillas de un reloj visto desde el frente o desde arriba.

en sentido contrario a las manecillas del reloj: movimiento giratorio que se realiza en la dirección opuesta a la que avanzan las manecillas de un reloj visto desde el frente o desde arriba.

enunciado de un problema: problema matemático que sólo usa palabras; pregunta en forma de oración que debe resolverse con matemáticas.

escala: serie de números empleada para medir proporciones; los intervalos marcados en los ejes x o y de una gráfica.

escala Celsius: escala de temperatura del sistema métrico en la cual el punto de congelación del agua es 0° y el punto de ebullición del agua es 100°.

escala Fahrenheit: escala de temperatura del sistema inglés en la cual el punto de congelación del agua es 32° y el de ebullición es 212°.

esfera: cuerpo sólido sin bases planas en el que todos los puntos de la superficie curva equidistan de su centro.

evento: en probabilidad, un resultado particular de un experimento o situación.

experimento: en probabilidad, actividad en la que interviene el azar.

exponente: número a la derecha y arriba de un número base que indica cuántas veces se multiplicará dicha base por sí misma.

expresión: números o letras, o letras y números, combinados con uno o más signos operacionales; ver *ecuación algebraica* y *expresión numérica.*

expresión numérica: números combinados con uno o más signos operacionales.

factor de conversión: fracción igual a 1, cuyo numerador y denominador representan la misma cantidad pero utilizan diferentes unidades.

factores: números que se multiplican entre sí para obtener un producto.

figura plana: forma geométrica que ocupa una superficie plana.

figura simétrica: aquella que tiene una o más líneas de simetría.

fórmula: regla representada por una ecuación y que indica las relaciones entre las cantidades.

fracción: número empleado para expresar parte de un todo constituido por dos cifras separadas por una rayita.

fuerza: capacidad de soportar un peso o de oponerse a un impulso.

geometría: el estudio de las formas y figuras.

girar: voltear sobre sí misma una figura plana.

grado (°): 1) unidad para medir la temperatura; 2) unidad para medir un ángulo.

grado Celsius (°C): unidad del sistema métrico para medir la temperatura.

grado Fahrenheit (°F): unidad del sistema inglés para medir la temperatura.

gráfica: dibujo que muestra la información de manera organizada; relaciones entre conjuntos de números.

gráfica circular: aquella que tiene la forma de un círculo y que se divide en secciones que indican cómo se divide el todo en partes.

gráfica de barras: aquella que representa una información numérica por medio de barras verticales u horizontales.

gráfica poligonal: aquella que muestra el cambio en los datos por medio de una línea.

gramo (g): unidad métrica básica para medir masa.

gravedad: la fuerza de atracción entre los objetos del universo; la fuerza que jala las cosas sobre o cerca de la superficie de la Tierra hacia el centro de ésta.

igual (=): signo empleado para indicar que números o expresiones son iguales.

intersecar: cruzar o encontrarse en un mismo punto.

intervalo: cantidad fija entre los números de una escala.

lados adyacentes: lados que forman la base y altura de un triángulo rectángulo. Son los lados que forman el ángulo recto del triángulo. También se les llama catetos.

libra (lb): unidad de peso del sistema inglés igual a 16 onzas.

línea: trayectoria recta que puede prolongarse indefinidamente en cualquiera de dos direcciones.

litro (l): unidad métrica básica para medir volumen.

longitud: medida de un punto a otro. Para un cuerpo sólido, es la medida de la base más larga.

masa: cantidad de materia que constituye un objeto.

mayor que (>): signo que significa "es mayor que".

media: resultado de la suma de un conjunto de números que se divide entre el número de sumandos; también se llama promedio.

mediana: número intermedio cuando se ordena una lista de valores.

medir: proceso de calcular la cantidad de algo.

menor que (<): signo que significa "es menor que".

metro (m): unidad métrica básica para medir longitud.

milésima: una de 1,000 partes iguales de un todo; el tercer lugar después del punto decimal.

moda: el número más frecuente en una lista de éstos.

multiplicación: operación que implica sumas repetidas.

newton (n): unidad métrica de peso del S.I.; 4.5 newtons equivalen a 1 libra.

numerador: el número que va arriba de la rayita de una fracción; el número de partes iguales que se están considerando.

número: símbolo usado para representar una cantidad.

número base: en relación con un exponente, es un número que debe multiplicarse por sí mismo el número de veces que indica dicho exponente.

número mixto: valor constituido por un entero y una fracción.

números enteros: los números para contar y el 0.

onza (oz): unidad de peso del sistema inglés igual a $1/16$ de libra.

operaciones: procesos como suma, resta, multiplicación y división que se efectúan con los números.

operaciones inversas: las que se anulan entre sí. Suma y resta, lo mismo que multiplicación y división, son operaciones inversas.

origen: punto inicial; el punto de una gráfica donde se intersecan el eje x y el eje y para formar un ángulo recto.

par ordenado: un par de números que identifica la posición de un punto en un sistema de coordenadas o en un plano cartesiano.

paralelo: que tiene una separación equidistante en todos los puntos.

paralelogramo: cuadrilátero cuyos lados opuestos son paralelos y poseen el mismo largo.

perímetro: contorno de una figura cerrada.

perpendicular: que se interseca en ángulo recto.

peso: medida de la fuerza de gravedad que jala a un objeto al centro de la Tierra.

pi (π): relación de la circunferencia de un círculo con su diámetro.

pie (ft): unidad del sistema inglés para medir distancia que es igual a 0.3 metros o 12 pulgadas.

pirámide: cuerpo sólido cuya base es un polígono y cuyas caras son triángulos con un vértice común.

plantilla: diseño plano que se puede doblar para construir un cuerpo sólido.

poliedro: cuerpo cuyas caras son polígonos.

polígono: figura plana cerrada formada por tres o más segmentos de recta que no se entrecruzan.

porcentaje (%): por ciento. Manera de comparar un número con el 100.

potencia: otro nombre para el exponente.

principio de conteo: método para encontrar el número total de posibles resultados para dos o más posibilidades por medio de la multiplicación del número total de éstas.

prisma: cuerpo sólido cuyas caras son polígonos y que tiene dos bases paralelas congruentes.

prisma rectangular: cuerpo sólido cuyas seis caras son rectangulares.

probabilidad: comparación del número de formas en que puede suceder un evento respecto del número de posibles resultados.

producto: número obtenido después de multiplicar.

promedio: ver *media*.

propiedad conmutativa de la suma: cuando se suman números, es posible cambiar el orden de los sumandos sin alterar el resultado.

punto decimal: punto que se coloca entre el lugar de las unidades y el de las décimas en un número decimal.

radio: segmento de recta que va del centro del círculo a cualquier punto sobre éste.

rango: diferencia entre el número mayor y el número menor de una lista.

rayo: parte de una línea recta que sólo tiene un extremo.

razón: par de números empleados para comparar cantidades.

recta numérica: línea dividida en partes iguales donde un punto se elige como el 0 u origen.

rectángulo: paralelogramo con lados opuestos del mismo largo y cuatro ángulos rectos.

reflexión: imagen de espejo de una figura que se hace rotar sobre una línea.

residuo: número menor que el divisor que queda después de terminar la división.

resolver: encontrar la solución de una ecuación.

resta: operación que implica encontrar la diferencia entre dos números.

rombo: paralelogramo con todos los lados del mismo largo y sin ángulos rectos.

rotación: transformación que hace girar a una figura en torno a un punto.

segmento de recta: parte de una línea recta con dos extremos cerrados.

signo de desigualdad (≠): signo empleado para indicar que las dos partes de una ecuación son diferentes.

signos de operación: figuras que representan una operación matemática.

simetría puntual: característica de una figura si después de rotar 180° parece no haber cambiado.

simetría rotacional: característica de una figura si después de rotar menos de 360° parece no haber cambiado.

sistema de coordenadas: sistema de líneas horizontales y verticales que se intersecan y que se utiliza para localizar puntos.

sistema inglés: sistema de medidas basado en las unidades pie, libra, pinta y segundo.

sistema métrico: sistema decimal de medidas basado en las unidades metro, gramo, litro y segundo.

solución de una ecuación algebraica: el valor de una variable que hace que una ecuación sea verdadera.

suma: operación en la que se agregan o suman dos o más números llamados sumandos, que se combinan en un número resultante llamado suma o adición.

sumandos: números que se suman.

sustituir: reemplazar una variable con un valor conocido.

tabla de datos: cuadro con los datos organizados.

temperatura: propiedad física que determina la dirección en la que el calor fluye entre las sustancias.

termómetro: instrumento que mide la temperatura en forma numérica.

título de la gráfica: el nombre de una gráfica que representa la información que ésta presenta.

tonelada (T): unidad de peso del sistema inglés, igual a 2,000 libras (*Nota:* no confundir con la tonelada métrica, la cual equivale a 1,000 kilos o 2,204 lb).

transformación: cambio en la posición o tamaño de una figura.

transportador: instrumento empleado para medir el tamaño de un ángulo.

trapecio: cuadrilátero con un par de lados paralelos.

trapezoide: cuadrilátero sin lados paralelos.

triángulo: polígono de tres lados.

triángulo acutángulo: triángulo cuyos ángulos miden menos de 90°.

triángulo equilátero: triángulo con tres lados congruentes.

triángulo escaleno: triángulo sin lados congruentes.

triángulo isósceles: triángulo con dos lados congruentes.

triángulo obtusángulo: triángulo en el cual uno de sus ángulos es mayor de 90°.

triángulo rectángulo: triángulo con un ángulo de 90°.

tridimensional (3-D): que tiene tres medidas: largo, ancho, altura; se dice de los cuerpos sólidos.

unidad: cantidad empleada como estándar de medición.

valores atípicos: puntos en un diagrama lineal cuyos valores son mucho mayores o menores que los del resto.

variable: cantidad cuyo valor cambia. Con frecuencia se usan letras para representar a las variables.

vértice: punto donde se intersecan rayos, segmentos de recta o líneas; también se llama esquina; el punto en el que se encuentran dos o más aristas de un cuerpo.

volumen: cantidad de espacio que ocupa un objeto o que está encerrada por éste; la capacidad de un recipiente.

Índice